5060 은퇴 준비, 인공지능이 답이다

서용주

5060 은퇴 준비, 인공지능이 답이다

: 5060을 위한 AI시대 은퇴 전략

발행		2024년 3월 30일
저자		서용주
디자인		어비, 미드저니
편집		어비
펴낸이		송태민
펴낸곳		열린 인공지능
등록		2023.03.09(제2023-16호)
주소		서울특별시 영등포구 영등포로 112
전화		(0505)044-0088
이메일		book@uhbee.net

ISBN | 979-11-93116-55-5

www.OpenAIBooks.shop

5060 은퇴 준비, 인공지능이 답이다

5060을 위한 AI시대 은퇴 전략

서용주

목차

머리말

저자소개

1장 인공지능(AI) 시대의 은퇴 준비

1.1. 100세 시대의 재정 독립과 건강의 중요성

1.2. 한국 노인 인구의 현실과 문제점

1.2. AI가 만들어 낸 새로운 은퇴 준비 방법

2장 은퇴, 새로운 시작

2.1. 인생 2막에서의 목표와 가치 재정의

2.2. 은퇴 후 취미와 관심사 탐색

2.3. 지속 가능한 은퇴 활동 설계

2.4. 은퇴 후 새로운 역할과 기회

3장 인공지능을 활용한 건강 관리

3-1. 건강한 식습관 형성

3-2. 규칙적인 운동 습관

3-3. 스트레스 관리

3-4. 수면 관리

3-5. 종교

3.6. AI 기반 건강 모니터링 및 관리

3.7. 은퇴 후 건강 유지를 위한 AI 솔루션

3.8. AI를 활용한 개인 맞춤형 건강 계획

4장 현재 자산 점검 및 계획

4.1. 지출 분석 및 절약 방법

4.2. 예산 설정과 경제적 목표

4.3. 부채 관리 및 상환 전략

5장 은퇴 후 경제적 자립

5.1. 은퇴 준비를 위한 재정 계획

5.2. 한국 연금 시스템 이해

5.3. 연금 계획 및 활용

5.4. 저축과 투자의 균형

5.5. 소득 다각화 전략

5.6. 부동산과 추가 수입원 창출

6장 인공지능을 통한 경제적 자유 획득

6.1. AI 기반 재정 계획 및 관리

6.2. 은퇴 자금의 효율적 관리 전략

6.3. 투자 및 자산 증식을 위한 AI 활용

6.4. AI를 활용한 사업 기회

6.5. 은퇴 후 재정 교육 및 자기계발

7장 은퇴 후 사회 공헌 및 나눔

7.1. 은퇴 후 사회 활동의 중요성

7.2. AI를 활용한 봉사활동 및 사회 참여

7.3. 지식과 경험 공유

8장 인공지능과 함께하는 은퇴 생활의 새로운 비전

8.1. 은퇴 후 재정적 자유 및 삶의 질 향상

8.2. 건강한 은퇴 생활을 위한 AI의 역할

나가는 글

머리말

AI와 함께하는 새로운 은퇴 생활

우리는 급변하는 기술의 시대를 살고 있으며, 이러한 변화는 우리의 은퇴 생활에도 새로운 기회와 도전을 제공합니다. 이 책은 AI 기술이 은퇴 준비와 노후 생활을 어떻게 변화시킬 수 있는지를 탐구합니다. AI는 단순히 기술적 진보의 상징이 아니라, 우리 삶의 근본적인 질을 개선하는 수단이 될 수 있습니다.

100세 시대가 도래함에 따라, 경제적 자유와 건강 관리, 은퇴 후 할 일과 사회적 기여는 은퇴 후의 삶에서 중요한 역할을 합니다. 이 책에서는 AI를 활용하여 경제적 자유를 달성하는 방법과, 건강을 유지하고 증진시키는 혁신적인 접근 방식을 소개합니다. 여기서 AI는 단순한 도구를 넘어, 은퇴 생활의 질을 향상시키는 파트너로 자리매김합니다.

이 책을 통해 독자 여러분은 AI 기술을 활용하여 재무적으로 안정적이고, 건강하며, 보람찬 은퇴 생활을 설계할 수 있는 지침을 얻을 수 있을 것입니다. AI는 우리의 재무 계획을 최적화하고, 건강 상태를 면밀히 모니터링하며, 새로운 취미와 사회적 활동에 참여하는 데 있어 중요한 역할을 합니다.

독자 여러분이 40대, 50대, 혹은 60대 은퇴 준비자라면, 이

책은 AI 시대에 은퇴를 준비하는 데 필요한 지식과 영감을 제공할 것입니다. AI와 함께하는 은퇴 생활은 더 이상 먼 미래의 이야기가 아닙니다. 지금, 여기서부터 시작됩니다.

은퇴는 새로운 시작입니다. AI와 함께하는 이 새로운 여정에 여러분을 초대합니다.

<본 도서는 ChatGPT(https://chat.openai.com)에서 쓰고, Bard, 뤼튼, Bing에서 내용을 보강했으며, 블로그에서 쓴 글들을 추가했습니다. 그림은 Midjourney와 DALL.E에서 그렸습니다.>

저자 소개

서용주(머니에디터)는 비움, 배움, 나눔을 통해 경제적 자유를 누리고 선한 영향력을 전하고자 하는 29년 차 직장인이자 50대 평범한 직장맘입니다. 21년 동안 출판사 편집자였고, 지금은 교육 부서에 6년째 있습니다. 결혼 2년 만에 남편이 중도실명한 장애인 가족입니다. 시각장애인 1급이 된 남편은 재활 후 6년 만인 40대 중반에 공무원이 되었습니다. 6년 전 부서 이동으로, 편집을 내려놓고 지금은 세미나를 진행하며 강사와 수강생들을 만나고 있습니다. 지인에게 수억 원 대 기획부동산 사기를 당한 충격으로 일시 실명과 뇌경색 초기 증상까지 왔고, 4년을 자포자기하며 살았습니다. 2022년 2월 세븐 테크 강의를 들으며 희망을 다시금 가지고, MKYU 대학에 입학했습니다. 4차 산업혁명인 웹 3.0에 대해 알게 된 후, 절실하게 공부해 70강좌 5400학점을 수료하며 MKYU 수석장학생이 됐습니다. 4060 은퇴 후를 준비하는 사람들에게 도움이 되는 내용을 글과 영상으로 나누는 디지털 콘텐츠 크리에이터입니다.

블로그 주소 : https://blog.naver.com/esterseo

인스타그램 : @money._.editor

이메일 : esterseo@naver.com

1장
인공지능(AI) 시대의 은퇴 준비

ChatGPT가 2022년 11월에 발표된 후 세상은 놀랍도록 빠르게 변하고 있습니다. AI 기술은 우리의 일상생활은 물론 은퇴 준비 방식에도 큰 변화를 가져왔습니다. 1장에서는 현재 한국 노령층 현실과 문제점을 살펴보고, AI가 어떻게 은퇴 준비에 혁신을 가져오고 있는지, 그리고 그로 인해 달라지는 우리의 삶에 대해 탐구합니다.

1.1. 100세 시대의 재정 독립과 건강의 중요성

100세 시대를 맞이하여, 재정적 독립과 건강의 중요성이 강조됩니다. 경제적으로 안정적인 은퇴 생활과 건강 유지를 위한 구체적인 계획과 실행 전략이 필요합니다. AI는 이러한 재정 관리와 건강 유지에 중요한 도구로 활용될 수 있습니다. 자산 관리부터 맞춤형 건강 계획까지, AI는 은퇴 준비의 모든 측면에서 혁신적인 솔루션을 제공합니다.

1.2. 한국 노인 인구의 현실과 문제점

한국의 노령층은 세계적으로 빠른 노령화 속도와 낮은 출산율로 인해 많은 사회적, 경제적 문제에 직면하고 있습니다. 높은 노령 인구 비율과 제한적인 연금 수급 상황은 은퇴 후 삶의 질에 영향을 미칩니다. 여기서는 이러한 현실을 분석하고 AI 기술이 어떻게 이 문제를 해결하는 데 도움이 될 수 있는지를 탐색합니다.

1.3. AI가 만들어낸 새로운 은퇴 준비 방법

AI는 은퇴 준비 과정을 개선하고, 개인 맞춤형 솔루션을 제공하여 더 나은 은퇴 생활을 설계할 수 있도록 도와줍니다. 이 장에서는 AI를 활용한 재정 관리, 건강 관리, 새로운 취미 및 사회 활동 참여 방법을 소개합니다. AI가 제공하는 맞춤형 정보와 조언을 통해 독자들은 은퇴 생활을 보다 효과적으로 준비할 수 있습니다.

1.1.

100세 시대의 재정 독립과 건강의 중요성

워런 버핏의 오랜 친구이자 버크셔 해서웨이 부회장이었던 찰스 멍거가 2023년 11월 28일 99세 나이로 사망했습니다. 전 미국 영부인 로잘린 카터 여사가 같은 해 11월 19일 96세의 나이로 사망했고, 장례식장에 99세인 지미 카터 전 대통령이 곁을 지켰습니다.

'살아있는 역사책'이라 불리며 지금도 활발한 집필과 강연으로 바쁜 김형석 연세대 명예교수가 1920년 생이니 100세 시대를 넘어 앞으로 120, 130세 시대가 코앞에 왔다는 말은 결코 과장이 아닙니다.

백세 시대, 우리는 더 이상 '은퇴'라는 단어를 종말의 시작으로 보지 않습니다. 이제 이 단어는 새로운 시작, 두 번째 인생의 시작을 의미합니다. 그러나 이 새로운 시작을 위해서는 **재정적 독립과 할 일, 건강**이 필수적인 기반이 됩니다.

재정적 독립은 단순히 경제적 안정을 넘어서, 삶의 질을 결정짓는 중요한 요소입니다. 은퇴 이후에도 안정적인 생활을 유지하고, 원하는 여가 활동을 자유롭게 즐길 수 있는 기회를 제공합니다. 재정적 독립을 위해서는 먼저 현실적인 자산 관리와 합리적인 소비 계획이 필요합니다. AI와 같은 첨단 기술을 활용해 개인 맞춤형 재정 관리 계획을 세우는 것이 중요합니다.

한편, 건강은 은퇴 후 삶의 질을 높이는 또 다른 중요한 요소입니다. 건강은 단순히 질병이 없는 상태를 넘어서, 적극적인 삶을 영위하기 위한 체력과 정신력을 포함합니다. 이를 위해 규칙적인 운동과 균형 잡힌 식사가 중요합니다. 또한, AI 기반 건강 관리 애플리케이션을 활용하여 자신의 건강 상태를 정기적으로 체크하고 관리하는 것도 좋은 방법입니다.

아쉽게도 현실은 이상과 다릅니다. 많은 이들이 재정적 독립과 건강한 삶을 꿈꾸지만, 실제로 준비하는 이들은 많지 않습니다. 이는 자기 인식의 부족에서 기인합니다. 우리는 자신의 현재 위치를 정확히 인지하고, 미래를 위한 구체적인 계획을 세워야 합니다. 이 과정에서 AI와 같은 기술의 발전은 큰 도움이 됩니다.

우리는 이제 미래를 향한 도전에 직면해 있습니다. 재정적 독립과 건강을 위해 어떤 준비를 해야 할지, 어떻게 현실과 꿈 사이의 간극을 줄일 수 있을지 고민해야 합니다. 이 책은 바로 그 시작점이 될 것입니다. 은퇴 준비는 단순히 먼 미래의 일이 아니라, 지금 이 순간부터 시작되어야 합니다.

1.2.

한국 노인 인구의 현실과 문제점

한국에서 정년은 대부분 60세지만 일반 기업에서 정년퇴직까지 다니기는 쉽지 않습니다. 대기업에서는 40대 중반이나 후반에 나오는 경우도 많습니다. 2023년에는 은행권에서 명예퇴직을 실시하며 대상에 30대까지 포함시켜 충격을 줬습니다.

세계에서 가장 빠른 노령화 속도

통계청 조사에 따르면 우리나라 55-79세 고령층 인구가 2022년 처음으로 1,500만 명을 첫 돌파했습니다. 15세 이상 인구 중 33.3%나 차지하며, 이는 3명 중 1명은 고령층이라는 뜻입니다.

우리나라의 고령화는 세계적으로 유례가 없을 정도로 급격한 속도로 진행되고 있습니다. 2045년이 되면 고령 인구가 전체 인구의 무려 37%로 늘어나고, 전 세계 1위로 고령인구 비율이 높은 나라가 될 거라는 암울한 통계가 나와 있습니다. 이대로면 대표적인 초고령 국가인 일본을 겨우 20년 후면 따라잡습니다.

한국경제연구원에 따르면 1970~2018년 한국의 고령화 비율 연 평균 증가율은 3.3%로 경제협력개발기구(OECD) 37개국 중 가 장 빨랐습니다.

2022년 고령 인구 1,500만 -> 전체 인구의 33.3%

2026년 초고령 사회 진입

2045년 고령인구 -> 전체 인구의 37%

세계 1위의 고령 국가 전망

통계청 전망

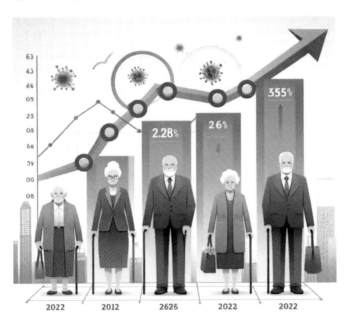

출산율마저 급격하게 떨어지고 있습니다. 통계청은 2022년 출생 통계를 발표하며 합계 출산율이 0.78명을 기록해 OECD 국가 중 가장 낮은 수치를 기록했다고 했습니다. 서울은 0.59명으로 더욱 낮습니다. 1984년 2명 대가 붕괴된 뒤 불과 40년도 안 된 기간에 일어난 일입니다.

60세 이상 연금 수령자 비율은 66.1%인데, 월평균 연금 수령액은 69만 원밖에 되지 않습니다. 생활고 탓에 고령층 10명 중 7명은 일하기를 원하고, 가능하다면 "73세까지 일하고 싶다"라고 응답했습니다.

당신의 노후는 안전한가요?

당장 눈앞의 현실 때문에 2순위로 미루기 쉬운 노후 준비. 50대인 제게 은퇴는 코앞에 다가온 현실입니다.

50대 후반은 인생에서 재산이 제일 많은 세대입니다. 통계청 자료를 보니 우리나라 50대의 가구당 평균 총자산에서 부채를 뺀 순자산은 4억 6,626만 원입니다. 문제는 집값이 4억 500만 원이라 순 금융자산은 6,126만 원밖에 안 된다는 것입니다. 집 한 채와 6,126만 원으로 30년을 살아야 한다니 암울할 수밖에 없지요.

50대 가구 자산

50대 가구당 평균 총자산 5억 6,700만 원

- 가구당 평균 부채·차입금 1억 74만 원

순자산 4억 6,626만 원

- 부동산 4억 500만 원

가구당 평균 순 금융자산 6,126만 원

통계청 자료

50대 가구 자산

50대 가구당 평균 총자산 5억 6,700만 원
- 가구당 평균 부채·차입금 1억 74만 원

- - - - - - - - - - - - - - - - - - - -

순자산 4억 6,626만 원
- 부동산 4억 500만 원

- - - - - - - - - - - - - - - - - - - -

가구당 평균 순 금융자산 6,126만 원

통계청 자료

이 상황에 노후가 불안하니 무리해서 투자하다가 주식 투자에 실패하던가, 부동산 가격이 하락하기도 합니다. 덜컥 자영업을 시작했다가 폐업하거나 한다면 부담이 엄청납니다.

우리나라는 노후준비에서도 양극화가 매우 심합니다. 극소수의 준비를 잘 한 사람은 한 달에 400-500만 원 이상을 연금으로 수령하는데, 정말 노후 준비가 필요한 서민층들은 무주택이거나 자산 가치는 하락하고, 자영업자들은 사업 자금을 대출받다 보니 거의 노후를 준비 못 하는 상황이지요.

당신의 노후가 위험하다!

소득대체율이란 개인의 생애 평균 소득 대비 연금액 비율입니다. 안락한 노후를 위해서 소득대체율이 65~70% 정도 되면 좋은데 한국은 소득을 기준으로 계산하면 OECD 20개국 중 19위입니다. 즉 소득이 너무 부동산에 편중돼 있어, 소득 창출이 전혀 안 된다는 것이 문제입니다.

<은퇴 준비 체크리스트 10가지>
1, 국민연금 외에 개인연금이나 퇴직연금 보유
2, 퇴직할 때 주택담보대출을 상환할 여유자금
3, 자녀의 대학등록금 마련을 위해 매달 일정금액을 저축
4, 출퇴근 할 때 주로 대중교통을 이용
5, 부모의 노후 생활비와 의료비 마련을 위해 별도의 계획
6. 회사에서 퇴직해도 곧바로 재취업할 수 있는 주특기

7. 본인과 가족의 의료비 마련을 위한 보험 보유

8. 정년 후 취업을 위해 학교에 다니거나 자격증을 준비

9. 회사에서 벗어나 별도의 동호회 또는 취미활동

10. 부부 각자가 자신의 명의로 된 국민연금이나 연금보험 보유

- 자료출처: 미래에셋퇴직연금연구소

신한은행 미래설계 보고서는 은퇴 후 적정 생활비와 노후자금을 200~300만 원, 자산 기준 5억 원 이상이라고 했습니다. 우리나라 고령층은 달랑 집 한 채 남고, 70~80%가 노후 생활비가 부족하다는 결론이 나옵니다.

그렇다면 어떻게 해야 할까요?

1.3.

AI가 만들어낸 새로운 은퇴 준비 방법

우리가 살아가는 현대 사회는 끊임없이 변화하고 있습니다. 그중에서도 인공지능(AI)의 발전은 우리 삶의 많은 부분을 변화시키고 있으며, 은퇴 준비 방식에도 혁신적인 변화를 가져왔습니다. 이제 인공지능을 활용한 은퇴 준비 방법은 단순한 선택이 아닌, 필수적인 접근 방식으로 자리 잡고 있습니다.

인공지능은 개인의 재정 상황, 건강 상태, 생활 습관, 취미 생활에 이르기까지 은퇴 준비의 모든 측면에서 새로운 방법을 제시합니다. 다양한 데이터를 분석하여 맞춤형 은퇴 계획을 제공해 개인의 특성에 맞춘 정교한 계획을 가능하게 하며, 은퇴 후의 삶을 보다 안정적이고 풍요롭게 만듭니다.

예를 들어, AI 기반 재정 관리 시스템은 사용자의 수입, 지출, 투자 성향 등을 분석하여 최적의 저축 및 투자 전략과 재정 계획을 제시합니다. 또한, AI 건강 관리 애플리케이션은 사용자의 건강 데이터를 분석하여 맞춤형 운동 및 식단 계획을 제공합니다. 또한, AI를 활용한 온라인 학습 플랫폼은 은퇴 후에도 지속적인 학습과 성장을 가능하게 합니다.

AI의 이러한 활용은 단순히 정보 제공을 넘어서 실질적인 행동 변화를 유도합니다. 예를 들어, AI가 제공하는 재정 계획에 따라 저축과 투자를 시작할 수 있으며, 건강 관리 애플리케이션의 조언에 따라 운동과 식습관을 개선할 수 있습니다. 이처럼 AI는 은퇴 준비를 위한 구체적이고 실천 가능한 방안을 제시합니다.

또한, AI는 끊임없이 발전하고 있으며, 이는 은퇴 준비 방식에도 지속적인 혁신을 가져옵니다. 최신 AI 기술은 더욱 정교한 분석과 예측을 가능하게 하며, 사용자에게 더 나은 은퇴 생활을 준비할 수 있는 기회를 제공합니다.

이처럼 AI는 은퇴 준비의 패러다임을 변화시키고 있습니다. 그러나 이러한 변화를 실제 삶에 적용하기 위해서는 우리 스스로가 AI 기술에 대한 이해를 높이고, 적극적으로 활용할 준비가 되어 있어야 합니다. AI가 만들어낸 은퇴 준비의 새로운 방식은 더 이상 먼 미래의 이야기가 아닙니다. 바로 지금, 우리의 삶 속에서 혁신적인 변화를 가져오고 있으며, 이를 통해 더 나은 미래를 만들어 갈 수 있습니다.

2장
은퇴, 새로운 시작

은퇴는 삶의 끝이 아닌 새로운 시작입니다. 2장에서는 은퇴 후에도 여전히 활동적이고 풍요로운 삶을 이어갈 수 있는 방법들을 탐색합니다. '나' 자신을 재발견하고, 인생 2막 설계를 어떻게 설계할지, 그리고 자신만의 은퇴 활동과 역할을 어떻게 찾고 계획할 수 있는지에 대해 알아보겠습니다.

2.1. 인생 2막에서의 목표와 가치 재정의

50대와 60대는 인생의 후반기에 해당하는 중요한 시기입니다. 이 시기에는 역할 변화, 건강 문제, 은퇴 준비 등 다양한 변화가 발생합니다. 이러한 변화 속에서 자신의 삶을 새롭게 설계하는 것은 매우 중요합니다. 스스로에 대한 이해를 바탕으로 자신만의 삶의 목표와 가치를 재정의하고, 이를 실현하기 위한 구체적인 계획을 세우는 과정을 다룹니다.

2.2. 은퇴 후 취미와 관심사 탐색

은퇴는 새로운 취미와 관심사를 탐색하는 이상적인 시기입니다. 취미 활동은 은퇴 생활에 활력을 불어넣고, 자아실현의 기회를 제공합니다. 정원 가꾸기, 사진 촬영, 요리, 그림 그리기 등 다양한 활동을 통해 삶의 즐거움을 발견하고, 창의력과 삶의 만족도를 향상시킬 수 있습니다.

2.3. 지속 가능한 은퇴 활동 설계

은퇴 후 활동은 장기적이고 지속 가능해야 합니다. 개인의 건강 상태, 재정 상황, 관심사를 고려하여 활동을 계획하고, 은퇴 생활에 균형과 다양성을 가져오는 것이 중요합니다. 여행, 봉사 활동, 학습, 사회적 교류 등을 통해 풍부하고 다채로운 은퇴 생활을 설계하는 방법을 제시합니다.

2.4. 은퇴 후 새로운 역할과 기회

은퇴 후에는 새로운 역할과 기회가 많이 생깁니다. 커뮤니티 봉사, 멘토링, 파트타임 일자리, 취미 기반의 소규모 비즈니스 등을 통해 새로운 역할을 찾을 수 있습니다. 이 장에서는 은퇴 후에 계속해서 사회에 기여하고 새로운 도전을 하는 방법들을 탐색합니다. 은퇴 후에도 계속해서 성장하고 발전하는 데 필요한 기회와 가능성을 제공하는 방법을 소개합니다.

2장은 은퇴 후에도 계속해서 활동적이고 의미 있는 삶을 살아갈 수 있는 다양한 방법을 제시합니다. 은퇴는 삶의 한 단계가 마무리되는 것이 아니라, 새로운 시작이며, 무한한 가능성이 있는 시기입니다.

2.1.

인생 2막에서의 목표와 가치 재정의

50대 60대는 인생의 후반기로 접어드는 시기입니다. 이 시기는 사회에서의 역할 변화, 건강 문제, 은퇴 준비 등 다양한 변화와 고민이 찾아오는 시기이기도 합니다. 따라서 이 시기에 자신의 삶에 대한 설계를 하는 것은 매우 중요합니다.

자신의 삶을 설계하기 위해서는 먼저 나에 대해 알아야 합니다. 나에 대해 알고 나면, 나만의 삶의 목표와 가치를 설정하고, 이를 달성하기 위한 구체적인 계획을 세울 수 있습니다.

후반기 삶의 설계를 위해서는 다음과 같은 세 가지 단계를 거쳐야 합니다.

1단계: 나만의 삶의 목표와 가치를 설정한다.

후반기 삶의 목표는 무엇이고, 어떤 가치를 추구하고 싶은지를 먼저 생각해 보아야 합니다. 자신의 가치관과 삶의 경험을 바탕으로 나만의 삶의 목표와 가치를 설정해야 합니다.

다음과 같은 질문을 스스로에게 던져 보고 적어 보십시오.

나는 어떤 삶을 살아왔나?

나는 어떤 삶을 살고 싶은가?

내가 좋아하는 것은 무엇인가?

내가 잘하는 것은 무엇인가?

나는 어떤 가치를 중요하게 생각하는가?

나는 어떤 사람으로 기억되고 싶은가?

나는 어떤 목표를 이루고 싶은가?

예) 나는 가족을 소중히 여기는 사람이다.

나는 사회에 기여하고 싶은 사람이다.

나는 새로운 것에 도전하는 것을 좋아하는 사람이다.

나는 직장에서 인정받는 일을 해 온 사람이다.

나는 취미 활동을 통해 재능을 발휘해 온 사람이다.

나는 사회봉사 활동을 통해 타인을 돕는 것을 즐긴다.

나는 가족들에게 사랑받고 존경받는 사람이 되고 싶다.

나는 사회에 도움이 되는 일을 하는 사람이 되고 싶다.

나는 나만의 개성을 살리며 살아가는 사람이 되고 싶다.

저의 가치는 '은퇴를 준비하는 사람들이 비움, 배움, 나눔을 통해 경제적 자유를 이루게 돕고 선한 영향력을 세상에 전하고 싶은 사람'입니다.

나에 대해 알기 위해서는 꾸준한 노력이 필요합니다. 매일 조금씩 시간을 내어 나에 대해 생각하고, 다른 사람들과 이야기해 보세요.

시간이 걸리더라도 자문자답하며 더 깊이 생각하고 답을 구하십시오. 정답은 없습니다. 내게 가장 맞는 답을 찾으면 됩니다. 나에 대해 잘 알면 알수록 앞으로의 인생을 어떻게 살아갈지 기준을 세울 수 있을 것이고, 나만의 삶의 목표와 가치를 설정할 수 있을 것입니다.

2단계: 후반기 삶의 구체적인 계획을 세운다.

나만의 삶의 목표와 가치를 설정했다면, 이를 달성하기 위한 구체적인 계획을 세워야 합니다. 건강, 경제, 사회 참여, 재능 발휘, 할 일 등 다양한 영역에 대한 계획을 세워야 합니다.

목표의 구체성: 목표는 구체적이고 측정 가능하며 달성 가능해야 합니다.

목표의 우선순위: 목표를 우선순위에 따라 나열하고, 순서대로 달성해 나가야 합니다.

실행 계획: 목표를 달성하기 위한 구체적인 실행 계획을 수립해야 합니다.

예)

가족과 함께 행복한 시간을 보내는 것을 목표로 한다면, 가족과 함께 여행을 가거나, 취미 활동을 함께 하는 등의 실행 계획을 수립할 수 있습니다.

새로운 취미나 공부를 시작하는 것을 목표로 한다면, 관련 서적이나 강의를 수강하거나, 동호회에 가입하는 등의 실행 계획을 수립할 수 있습니다.

사회봉사 활동에 참여하는 것을 목표로 한다면, 지역 사회의 봉사 단체에 가입하거나, 직접 봉사 활동을 기획하는 등의 실행 계획을 수립할 수 있습니다.

다음과 같이 단계별로 짜보면 좀 더 명확해질 것입니다.

목표를 구체화합니다.

목표를 이루기 위한 구체적인 행동이나 결과를 제시합니다.

목표를 이루기 위한 구체적인 기준을 설정합니다.

목표의 우선순위를 정합니다.

목표를 중요도와 시급도에 따라 나열합니다.

목표를 이루기 위한 순서를 결정합니다.

실행 계획을 수립합니다.

목표를 이루기 위한 구체적인 단계를 나열합니다.

각 단계별로 필요한 시간과 자원을 고려합니다.

3단계: 계획을 실천하고 점검한다.

계획을 세웠다면, 이를 실천하고 점검하는 과정을 거쳐야 합니다. 계획을 실천하면서 목표와 가치에 맞게 잘 진행되고 있는지 확인하고, 필요하다면 계획을 수정해야 합니다.

실천 계획을 수립할 때는 다음과 같은 사항을 고려해야 합니다.

1. 시간 관리: 목표를 달성하기 위해서는 시간 관리가 중요합니다. 목표별로 필요한 시간과 자원을 고려하여, 현실적인 계획을 수립해야 합니다.
2. 동기 부여: 목표를 달성하기 위해서는 동기 부여가 중요합니다. 목표를 달성하면 얻을 수 있는 이점들을 생각해 보고, 꾸준히 노력할 수 있도록 동기 부여를 해야 합니다.
3. 실패에 대한 대처: 목표를 달성하는 과정에서 실패를

경험할 수도 있습니다. 실패에 대한 두려움으로 인해 포기하지 않도록, 실패에 대한 대처 방법을 미리 준비해야 합니다.

중간 점검과 피드백

예)

가족과 함께 행복한 시간을 보내는 것을 목표로 한다면, 매주 가족과 함께하는 시간을 정하고, 그 시간을 함께 즐길 수 있는 활동을 계획합니다.

새로운 취미나 공부를 시작하는 것을 목표로 한다면, 꾸준히 시간을 투자하여 공부하고, 관련 모임이나 동호회에 참여합니다.

사회봉사 활동에 참여하는 것을 목표로 한다면, 지역 사회의 봉사 단체에 가입하고, 정기적으로 봉사 활동에 참여합니다.

후반기 삶의 설계와 계획, 실천은 한 번에 이루어지는 것이 아닙니다. 자신의 삶에 변화가 생기거나, 새로운 목표와 가치를 발견하면, 이를 반영하여 계획을 수정해야 합니다. 또한, 후반기 삶의 설계는 혼자서 하는 것이 아니라, 가족, 친구, 전문가 등과 함께 하는 것이 좋습니다.

꾸준한 노력과 성실함으로 이 과정을 밟아 간다면, 후반기 삶을 더욱 풍요롭고 의미 있게 살아갈 수 있을 것입니다.

2-2.

은퇴 후 취미와 관심사 탐색

은퇴 후 취미와 관심사를 탐색하는 것은 새로운 삶의 시작입니다. 이 시기에 다양한 활동을 통해 자신만의 즐거움을 찾고, 삶의 질을 높일 수 있습니다. 다음은 은퇴 후 즐길 수 있는 다양한 취미와 관심사의 예시입니다.

1. 정원 가꾸기

집의 정원이나 발코니에서 작은 정원을 가꾸어 보세요. 식물을 키우며 자연과 교감하고, 일상의 스트레스를 해소할 수 있습니다.

2. 요리와 베이킹

새로운 요리 레시피에 도전하거나 베이킹으로 솜씨를 발휘해 보세요. 자신만의 요리를 만들고 가족이나 친구들과 함께 나누는 즐거움을 느낄 수 있습니다.

3. 사진 촬영

사진을 찍으며 주변의 아름다움을 발견하세요. 여행이나 일상에서 멋진 순간들을 카메라에 담아보는 것도 좋은 취미입니다.

4. 그림 그리기 또는 공예

미술이나 공예 활동으로 창의력을 발휘해 보세요. 그림 그리기, 조각, 도자기 만들기 등 다양한 예술 활동을 통해 자신만의 작품을 만들 수 있습니다.

5. 음악 감상 및 연주

음악을 즐기거나 악기 연주를 배워보세요. 기타, 피아노, 바이올린 등 새로운 악기에 도전하거나, 좋아하는 음악을 감상하며 휴식을 취하는 것도 좋습니다.

6. 책 읽기 및 글쓰기

좋아하는 책을 읽거나 자신만의 글을 써보세요. 읽기나 글쓰기를 통해 새로운 지식을 얻고, 내면의 생각을 정리할 수 있습니다.

7. 걷기나 하이킹

자연을 거닐며 신선한 공기를 마시고 건강을 유지하세요. 가까운 공원이나 산책로에서 걷기, 또는 주변의 하이킹 코스를 탐험해 보세요.

8. 자원봉사

지역 사회에서 자원봉사 활동에 참여해 보세요. 봉사 활동을 통해 사회적 만족감을 얻고, 새로운 사람들과의 만남을 경험할 수 있습니다.

이러한 취미 활동은 돈이 많이 들지 않으면서도 은퇴 후의 삶에 새로운 활력을 불어넣고, 자아실현의 기회를 제공합니다. 자신에게 맞는 취미를 찾아 새로운 즐거움을 발견하고, 은퇴 생활을 더욱 풍요롭게 만들어 보세요.

plore hobbies
after retirement

2. Designing sustainable
retirement acivitties

3: New roles
retirement acti

2.3.

지속 가능한 은퇴 활동 설계

은퇴 후의 삶은 단순히 여가 시간을 보내는 것 이상의 의미를 갖습니다. 지속 가능한 은퇴 활동을 설계함으로써, 여러분의 삶에 새로운 가치와 목적을 부여할 수 있습니다. 다음은 은퇴 생활을 보다 의미 있고 지속 가능하게 만드는 몇 가지 방법입니다.

1. 규칙적인 일정 유지

은퇴 후에도 규칙적인 생활 패턴을 유지하는 것이 중요합니다. 매일 아침 일정한 시간에 일어나는 습관을 들이고, 계획적인 일과를 짜 보세요.

2. 건강 관리 계획

건강은 은퇴 생활에서 가장 중요한 자산입니다. 규칙적인 운동, 균형 잡힌 식사, 정기적인 건강 검진을 통해 건강을 관리하세요.

3. 학습과 성장

은퇴 후에도 새로운 것을 배우고 성장하는 것이 중요합니다. 온라인 강의, 독서, 워크숍 등을 통해 새로운 지식을 탐구하고 취미를 개발하세요.

4. 사회적 교류

은퇴 후에도 사회적 관계를 유지하는 것이 중요합니다. 친구나 가족과의 만남, 커뮤니티 활동 참여, 자원봉사 등을 통해 활발한 사회적 교류를 유지하세요.

5. 여행 계획

은퇴 후에는 여행을 통해 새로운 경험을 할 수 있습니다. 여행을 통해 문화적 통찰을 얻고, 새로운 사람들을 만나는 등의 경험은 삶에 풍부함을 더합니다.

6. 재정 관리

은퇴 생활을 안정적으로 유지하기 위해서는 체계적인 재정 관리가 필요합니다. 소비 계획을 세우고, 저축과 투자를 통해 재정적 안정성을 유지하세요.

7. 자기 계발

개인적인 관심사나 취미를 통해 자기 계발을 하세요. 이는 은퇴 생활에 활력을 불어넣고, 삶의 만족도를 높이는 데 도움이 됩니다.

지속 가능한 은퇴 활동을 설계하는 것은 은퇴 후의 삶을 보다 풍부하고 의미 있게 만들어 줍니다. 여러분의 은퇴 생활이 단순한 여유가 아니라, 새로운 시작이자 성장의 기회가 되길 바랍니다.

2.4.

은퇴 후 새로운 역할과 기회

은퇴는 삶의 새로운 장을 여는 시작점입니다. 직장 생활을 마무리하고 새로운 역할을 찾아보는 이 시기는, 여러분에게 새로운 기회를 제공하고, 인생의 또 다른 즐거움을 발견할 수 있는 중요한 시기입니다. 여기서는 은퇴 후 새로운 역할과 기회를 발견하는 몇 가지 방법을 소개하고자 합니다.

1. 멘토링과 지도

수십 년 동안의 직장 경험은 값진 자산입니다. 이를 바탕으로 후배들이나 지역 사회의 젊은이들을 위한 멘토나 조언자가 될 수 있습니다. 멘토링은 여러분의 지식과 경험을 나누는 동시에 세대 간 소통과 이해를 강화하는 좋은 방법입니다. 지역 대학이나 학교, 청년 단체와 연계하여 멘토링 프로그램에 참여해 보세요.

2. 자원봉사 활동

은퇴 후 시간을 사회에 기여하는 데 사용하는 것은 매우 보람 찬 일입니다. 지역 사회의 노인 복지관, 도서관, 환경 보호 단체

등에서 자원봉사 활동을 할 수 있습니다. 이러한 활동은 새로 운 사람들을 만나고 사회적 연결망을 강화하는 데 도움이 됩니 다. 또한, 다른 사람들에게 긍정적인 영향을 미치는 것은 여러 분 자신에게도 큰 만족감을 줄 것입니다.

3. 평생학습

은퇴는 새로운 지식과 기술을 배우는 데 있어서 최적의 시기입 니다. 온라인 강좌, 지역 커뮤니티 센터의 클래스, 대학의 평생 교육 프로그램 등을 통해 새로운 것을 배우고 성장하세요. 예 를 들어, 외국어, 컴퓨터 프로그래밍, 사진 촬영, 요리 등 다양

한 분야에서 새로운 취미를 찾을 수 있습니다. 이는 여러분의 삶에 새로운 활력을 불어넣고, 은퇴 후의 일상에 재미와 의미를 추가할 것입니다.

4. 창업 또는 사이드 비즈니스

은퇴 후에도 여전히 활동적이고 생산적인 일을 하고 싶다면, 작은 비즈니스를 시작하거나 부업에 참여할 수 있습니다. 자신의 취미나 관심사를 바탕으로 한 사이드 비즈니스는 새로운 도전을 경험하고 추가 수입원을 마련하는 기회가 될 수 있습니다. 예를 들어, 정원 가꾸기, 수공예품 제작, 블로그 운영 등을 통해 새로운 경력을 쌓을 수 있습니다.

5. 취미를 직업으로 전환

개인적인 취미를 사업 아이디어로 전환할 수도 있습니다. 예를 들어, 정원 가꾸기, 공예, 글쓰기 등을 취미로 즐기는 경우, 이를 기반으로 한 비즈니스를 시작할 수 있습니다. 온라인 마켓플레이스나 지역 시장에서 제품을 판매하거나, 관련 워크숍을 운영하는 것이 좋은 예입니다.

6. 사회적 기업 참여

사회적 기업이나 비영리 단체에 참여하는 것은 의미 있는 사회적 변화를 만드는 데 기여할 수 있는 좋은 방법입니다. 여러분의 전문성과 경험을 활용하여 사회적 문제 해결에 참여하거나, 지역 사회 발전을 위한 프로젝트를 진행할 수 있습니다.

7. 여행 및 문화 탐험

은퇴 후에는 세계 곳곳을 여행하며 새로운 문화를 경험하고, 다양한 사람들을 만날 수 있는 기회가 될 수 있습니다. 여행은 여러분의 시야를 넓히고 새로운 관점을 제공할 것입니다. 또한, 지역 문화 행사나 전시회 참여를 통해 삶을 더욱 풍요롭게 만들 수 있습니다.

은퇴는 삶의 한 단계를 마무리하는 것이 아니라, 새로운 기회의 시작입니다. 다양한 역할을 탐색하고 새로운 기회를 활용함으로써, 여러분의 은퇴 생활은 더욱 풍부하고 의미 있는 시간이 될 것입니다.

3장
인공지능을 활용한 건강 관리

건강과 웰빙을 위해서는 건강한 식습관, 규칙적인 운동, 스트레스 관리, 충분한 수면, 신앙과 마음 챙김이 중요합니다. 3장에서는 건강과 웰빙을 위한 실천 방법에 이어, AI 기술을 활용하여 은퇴 후의 건강을 관리하는 방법에 대해 살펴보겠습니다. AI 기술은 개인의 건강 데이터를 분석하여 맞춤형 건강 관리 방안을 제공하고, 잠재적인 건강 위험을 조기에 감지할 수 있게 해줍니다.

3.1. 건강한 식습관 형성

건강한 식습관은 건강과 웰빙의 기본입니다. 하루에 5가지 색상의 채소와 과일을 섭취하고, 통곡물, 단백질, 건강한 지방을 골고루 섭취하는 것이 좋습니다. AI 기반의 식단 관리 앱을 사용하여 개인의 영양 요구에 맞는 식단을 계획하고 관리할 수 있습니다.

3.2. 규칙적인 운동 습관

규칙적인 운동은 체중 조절, 근력 강화, 심혈관 건강 증진 등에 도움을 줍니다. AI 기반 피트니스 앱이나 웨어러블 기기를 사용하여 개인의 운동 수준에 맞는 운동 계획을 세우고, 운동의 효과를 모니터링할 수 있습니다.

3.3. 스트레스 관리

스트레스 관리는 정신 건강에 중요합니다. 명상, 호흡법, 휴식 등 다양한 방법으로 스트레스를 관리할 수 있으며, AI 기반의 명상 앱이나 스트레스 관리 도구를 사용하여 스트레스 수준을 관리하고 조절할 수 있습니다.

3.4. 수면 관리

충분한 수면은 건강과 웰빙에 필수적입니다. AI 기반의 수면 추적 앱을 사용하여 수면 패턴을 모니터링하고, 수면의 질을 개선하기 위한 조언을 받을 수 있습니다.

3.5. 종교

신앙과 마음 챙김은 정신적 웰빙과 삶의 의미를 찾는 데 도움을 줍니다. AI 기술을 활용한 명상 앱이나 온라인 종교 커뮤니티를 통해 개인의 신앙과 정신적 건강을 유지하고 강화할 수 있습니다.

AI 기술은 건강한 식습관, 규칙적인 운동, 스트레스 관리, 수면 관리, 신앙과 마음 챙김 등 건강과 웰빙을 위한 다양한 실천 방법을 개인화하고 최적화하는 데 도움을 줍니다. AI를 활용하여 건강한 은퇴 생활을 설계하고 관리함으로써, 건강하고 만족스러운 삶을 누릴 수 있습니다.

3.1.

건강한 식습관 형성

건강한 식습관은 건강과 웰빙의 기본입니다. 건강한 식습관을 통해 심혈관 질환, 암, 당뇨병, 비만 등 만성 질환의 위험을 줄이고, 면역력을 강화하고, 기분을 좋게 유지할 수 있습니다.

건강한 식습관을 위해서는 다음과 같은 사항을 고려해야 합니다.

1. 채소와 과일 섭취

채소와 과일은 비타민, 미네랄, 섬유질이 풍부하여 건강에 좋습니다. 채소와 과일은 혈압을 낮추고, 혈당을 조절하고, 암 위험을 줄이고, 면역력을 강화하는 데 도움이 됩니다. 하루에 5가지 색상의 채소와 과일을 섭취하는 것이 좋습니다. 다양한 색상의 채소와 과일을 섭취하면 다양한 영양소를 섭취할 수 있습니다.

식단 예)

아침 : 샐러드 + 오트밀

점심 : 콩비지찌개 + 나물 반찬

저녁 : 생선구이 + 브로콜리

2. 곡물 섭취

곡물은 탄수화물, 단백질, 섬유질을 제공합니다. 통곡물은 정제된 곡물보다 영양가가 높습니다. 통곡물은 혈당을 천천히 올리고, 콜레스테롤 수치를 낮추고, 암 위험을 줄이는 데 도움이 됩니다.

식단 예)

아침 : 통밀빵 + 계란

점심 : 쌀밥 + 잡곡밥

저녁 : 현미밥 + 된장찌개

단백질 섭취

단백질은 근육과 뼈 건강에 중요합니다. 육류, 생선, 두부, 콩류 등을 섭취하면 단백질을 섭취할 수 있습니다.

식단 예)

아침 : 두유 + 견과류

점심 : 닭가슴살 구이 + 야채볶음

저녁 : 생선구이 + 된장찌개

지방 섭취

지방은 에너지와 필수 영양소를 제공합니다. 건강에 좋은 지방은 올리브오일, 아보카도, 견과류, 씨앗 등에 들어 있습니다. 건강에 좋은 지방은 심혈관 건강을 개선하고, 암 위험을 줄이는 데 도움이 됩니다.

식단 예)

아침 : 아보카도 + 계란

점심 : 올리브오일로 볶은 야채

저녁 : 견과류 + 씨앗

나트륨 섭취 제한

나트륨은 혈압을 높이는 원인이 됩니다. 하루에 2,300mg 미만으로 나트륨 섭취를 제한하는 것이 좋습니다. 이를 위해 외식을 할 때는 국물 대신 물을 마시던가 가공식품은 가급적 피하십시오.

설탕 섭취 제한

설탕은 칼로리와 당분이 높습니다. 하루에 50g 미만으로 설탕 섭취를 제한하는 것이 좋습니다. 이를 위해서는 탄산음료, 주스, 아이스크림 등 단 음료를 피합니다. 설탕이 많이 들어간 과자, 빵, 쿠키 등은 가급적 적게 먹습니다.

건강한 식습관을 실천하기 위해서는 다음과 같은 점을 고려하는 것이 좋습니다.

채소, 과일, 통곡물, 콩류 등의 섭취 늘리기

육류, 가공식품, 설탕, 소금 패스트푸드 섭취 줄이기

음주와 흡연 줄이기

영양을 고려해 다양한 식품을 섭취하기

조리 방법은 튀김보다 굽거나 삶는 방법을 선택하기

규칙적으로 식사하기

하루에 1000ml 이상 물 마시기

매 끼니 섭취량 2/3로 줄이기

매일 몸무게 기록하며 체중 관리하기

건강한 식습관을 실천하는 것은 건강과 웰빙을 위해 꼭 필요한 노력입니다. 잘 챙겨 건강하고 행복한 삶을 누리시기 바랍니다.

3.2.

규칙적인 운동 습관

규칙적인 운동은 건강과 웰빙을 위한 또 다른 중요한 요소입니다. 규칙적인 운동은 다음과 같은 효과가 있습니다.

1) 체중 조절 : 운동은 칼로리 소모를 증가시켜 체중 조절에 도움이 됩니다.

2) 근력과 근지구력 강화 : 근육을 강화하고 근지구력을 증가시킵니다. 이로써 신체 기능을 향상시켜 일상생활을 더 쉽게 할 수 있도록 도와줍니다.

3) 뼈 건강 증진: 운동은 뼈를 튼튼하게 하고 골다공증을 예방하는 데 도움이 됩니다.

4) 심혈관 건강 증진: 운동은 심장 박동수를 높이고 혈액 순환을 개선하여 심혈관 건강을 증진시켜 심장병, 뇌졸중 등의 위험을 줄입니다.

5) 정신 건강 증진: 운동은 정신 건강을 증진시켜 스트레스 해소, 우울증 예방, 기분을 좋게 하는 등에 도움이 됩니다.

운동을 하면 심장병, 뇌졸중, 당뇨병, 암, 비만, 골다공증, 우울증을 줄일 수 있습니다.

미국 질병통제예방센터(CDC)의 연구에 따르면, 주당 최소 150분의 중등 강도 또는 75분의 고강도 유산소 운동을 하는 사람들은 그렇지 않은 사람들에 비해 심장병 사망 위험이 30%, 뇌졸중 사망 위험이 20%, 당뇨병 사망 위험이 30% 낮은 것으로 나타났습니다.

한국보건의료연구원의 연구에 따르면, 주 3회 이상 30분 이상 중등 강도 이상의 운동을 하는 60세 이상 노인은 그렇지 않은 노인들에 비해 사망 위험이 30% 낮은 것으로 나타났습니다.

추천 운동

1) 걷기: 걷기는 가장 쉽고 간편하게 할 수 있는 운동입니다. 하루에 30분 이상 걷는 것이 좋습니다.
2) 달리기: 달리기는 심폐 지구력과 근력을 향상시키는데 효과적입니다. 주 3회 이상 30분 이상 달리는 것이 좋지만 무릎이 좋지 않다면 피해야 합니다.
3) 수영: 수영은 관절에 부담이 적으며, 전신 운동을 할 수 있어 노년층에게 특히 추천합니다.
4) 자전거 타기: 자전거 타기는 심폐 지구력과 근력을 향상시키는 데 효과적입니다. 주 3회 이상 30분 이상 자전거 타는 것이 좋습니다.
5) 요가: 요가는 유연성과 근력을 향상시키는 데 효과적입니다.

규칙적인 운동을 실천하기 위한 팁

목표를 설정하고, 실천 계획을 세웁니다.

작은 목표부터 시작하여 점차 목표를 늘려갑니다.

운동을 습관화하기 위해 규칙적으로 운동합니다.

운동을 즐길 수 있는 방법을 찾습니다.

홈트(홈트레이닝)처럼 꼭 체육관에 가지 않아도 혼자 할 수 있는 다양한 방법이 있습니다. 챌린지에 참여하는 것도 좋습니다. 규칙적인 운동은 건강과 웰빙을 위해 꼭 필요한 노력입니다. 규칙적인 운동을 실천하여 건강하고 행복한 삶을 누리시기 바랍니다.

3.3.

스트레스 관리

스트레스는 일상생활에서 피할 수 없는 요소입니다. 하지만, 스트레스가 과도해지면 건강과 웰빙에 부정적인 영향을 미칠 수 있습니다.

스트레스가 커지면 다음과 같은 증상을 가져올 수 있습니다.

1) 신체적 증상: 두통, 소화불량, 심장 박동 증가, 근육 긴장, 수면 장애, 피로

2) 정서적 증상: 불안, 초조, 우울, 분노

3) 인지적 증상 : 집중력 저하, 기억력 감퇴, 의사 결정 능력 저하

1. 스트레스의 원인 파악하기

스트레스의 원인을 파악하고, 원인을 제거하거나 줄이는 방법을 찾습니다.

2. 건강한 스트레스 해소 방법 찾기

운동, 명상, 휴식, 취미 활동 등 자신에게 맞는 스트레스 해소 방법을 찾습니다. 스트레스를 관리하기 위해서는 다음과 같은 방법을 고려해 볼 수 있습니다.

1) 명상: 명상은 마음을 차분하게 하고 스트레스 관리에 도움이 됩니다. 명상, 집중 명상, 마음 챙김 명상, 이완 명상 등 다양한 명상이 있습니다.

2) 호흡법: 호흡법은 긴장을 풀고 스트레스 관리에 도움이 됩니다. 복식 호흡, 4-7-8 호흡법, 숨을 들이쉬며 숫자를 세고 내쉬며 숫자를 세는 호흡법 등이 있습니다.

3) 휴식: 충분한 휴식을 취하는 것도 스트레스 관리에 중요합니다.

4) 사회적 관계: 가족, 친구, 동료 등과의 사회적 관계는 스트레스 관리에 도움이 됩니다.

5) 충분한 수면

6) 여행

7) 취미 활동

8) 긍정적인 사고방식: 긍정적인 사고방식은 스트레스를 더 잘 관리할 수 있습니다.

미국 심리학회의 연구에 따르면, 명상은 스트레스, 불안, 우울증을 감소시키는 데 효과적입니다.

호흡법은 스트레스, 불안, 우울증을 감소시키는 데 효과적이라는 것을 영국 심리학회의 연구 결과가 입증합니다.

또한 미국 질병통제예방센터의 연구에 따르면, 사회적 관계는 스트레스를 감소시키고, 우울증을 예방하는 데 도움이 되는 것으로 나타났습니다.

스트레스 관리는 개인의 상황에 따라 적절한 방법을 선택하는 것이 중요합니다. 스트레스가 심하거나 일상생활에 지장을 줄 정도라면, 전문적인 도움을 받는 것도 고려해 볼 수 있습니다.

스트레스를 관리하여 건강하고 행복한 삶을 누리시기 바랍니다.

3.4. 수면 관리

불면증으로 고생해 본 사람이라면 수면이 얼마나 중요한지 절감할 것입니다. 충분한 수면은 건강과 웰빙을 위한 필수 요소입니다.

충분한 수면의 효과

1) 피로 해소: 충분한 수면을 취하면 피로가 해소되고, 기분이 좋아집니다.
2) 집중력 향상: 충분한 수면을 취하면 집중력이 향상되고, 학습과 업무 효율이 높아집니다.
3) 기억력 향상: 수면을 통해 뇌는 정보를 처리하고 기억을 저장합니다.
4) 면역력 증진: 충분한 수면을 취하면 뇌는 면역력을 강화하는 호르몬을 분비해 면역력이 증진됩니다.
5) 학습 능력 향상: 수면을 통해 뇌는 학습한 정보를 강화합니다.
6) 감정 조절 능력 향상: 수면을 통해 뇌는 감정을 조절하는 능력을 향상시킵니다.

미국 국립 수면 재단의 권고에 따르면, 성인은 하루에 7~8시간의 수면을 취하는 것이 좋습니다.

수면을 방해하는 요소

1) 카페인: 카페인은 각성 효과가 있어 수면을 방해할 수 있습니다.
2) 알코올: 알코올은 수면을 유도할 수 있지만, 수면의 질을 떨어뜨릴 수 있습니다.
3) 과도한 운동: 과도한 운동은 수면을 방해할 수 있습

니다.

4) 낮잠: 낮잠을 너무 오래 자면 밤에 잠들기 어려울 수 있습니다.

5) 스트레스: 스트레스는 수면을 방해할 수 있습니다.

숙면을 위한 조언

규칙적인 수면 시간을 정하고, 이를 지키도록 노력합니다.

수면 전에 카페인과 알코올을 피합니다.

취침 전 30분 정도는 휴식을 취합니다.

침실은 어둡고 조용하며, 적정한 온도를 유지합니다.

잠자리에 들기 전에 스마트폰이나 TV를 보지 않습니다.

낮잠을 너무 오래 자지 않습니다.

스트레스를 관리합니다.

수면 장애

수면 장애는 수면의 양이나 질에 문제가 있는 상태를 말합니다. 수면 장애는 수면 부족, 수면 무호흡증, 불면증, 렘 수면 행동 장애 등과 같은 증상을 유발할 수 있습니다.

수면 장애가 의심되는 경우, 병원을 방문하여 진료를 받아보는 것이 좋습니다.

3-5. 종교

종교는 은퇴 생활에서 정신적 안정과 내면의 평화를 찾는 데 중요한 역할을 합니다. 삶의 의미와 목적을 찾는 데 도움을 주며 신앙을 가진 사람들은 신을 의지함으로 삶의 어려움을 극복할 수 있습니다. 이는 스트레스 관리, 감정 조절, 삶의 의미 찾기에 도움을 주며, 전반적인 정신 건강을 향상시키는 데 기여합니다.

신앙은 개인에게 삶의 방향과 목적을 제공하며, 마음의 안식처가 됩니다. 예배, 기도, 묵상 등의 종교적 활동은 개인이 자신의 신앙을 심화시키고, 삶의 어려움에 대처하는 힘을 얻는 데 도움이 됩니다.

또한, 같은 신앙 공동체와의 교류는 사회적 지지망을 구축하고, 소속감과 연대감을 경험하게 해줍니다. 함께 봉사 활동을 하며 사회에 기여하고, 주는 자가 받는 자보다 더 많이 얻을 수 있는 기쁨과 감사도 얻을 수 있습니다.

신앙생활의 유익

1. 신앙을 통해 삶의 의미와 목적을 찾습니다.
2. 종교 공동체에 참여하여 사회관계를 형성합니다.
3. 종교 의식에 참여하여 마음의 평화를 찾습니다.
4. 봉사로 종교적 가르침을 실천하여 삶의 의미와 목적을

찾습니다.

자신의 상황에 맞는 방법으로 신앙과 마음 챙김을 활용하여 건강하고 행복한 삶을 누리시기 바랍니다.

요약

건강과 웰빙을 위해서는 건강한 식습관, 규칙적인 운동, 스트레스 관리, 충분한 수면, 신앙과 마음 챙김이 중요합니다.

건강한 식습관: 하루에 5가지 색상의 채소와 과일을 섭취하고, 통곡물, 단백질, 건강한 지방을 골고루 섭취합니다.

규칙적인 운동: 성인은 주당 최소 150분의 중등 강도 또는 75분의 고강도 유산소 운동을 하는 것이 좋습니다. 또한, 근력 운동을 주 2회 이상 하는 것이 좋습니다.

스트레스 관리: 운동, 명상, 호흡법, 휴식, 사회적 관계 등을 통해 스트레스를 관리합니다.

충분한 수면: 성인은 하루에 7~8시간의 수면을 취하는 것이 좋습니다.

신앙과 마음 챙김: 종교적 활동, 명상, 요가, 자연 속에서의 시간 등을 통해 신앙과 마음 챙김을 실천합니다.

적용점

건강과 웰빙을 위한 실천 방법을 적용하기 위해서는 다음과 같은 점을 고려하는 것이 좋습니다.

1) 개인의 상황에 맞게 실천합니다. 나이, 건강 상태, 생활 패턴 등을 고려하여 자신에게 맞는 실천 방법을 선택합니다.
2) 꾸준히 실천합니다. 일시적인 변화보다는 꾸준한 실천이 중요합니다.
3) 자신의 변화를 관찰합니다. 실천을 통해 나타나는 변화를 관찰하고, 이를 통해 동기 부여를 합니다.

건강과 웰빙을 위한 실천 방법을 실천하여 행복하고 건강한 삶을 누리시기 바랍니다.

3.6.

AI 기반 건강 모니터링 및 관리

AI 기술을 활용한 건강 모니터링과 관리는 은퇴 후 건강한 삶을 유지하는 데 혁신적인 접근 방식을 제공합니다. 이러한 시스템은 개인의 건강 상태를 지속적으로 추적하고, 잠재적인 문제를 조기에 감지하여 적절한 건강 관리 조치를 취할 수 있게 합니다.

1. 스마트 워치를 이용한 건강 모니터링

스마트 워치는 사용자의 심박수, 활동량, 수면 패턴 등을 실시간으로 추적합니다.

예를 들어, 애플워치는 심장 건강 모니터링 기능을 통해 사용자의 생체 신호를 모니터링하고, 비정상적인 심박수 감지 시, 사용자에게 경고를 보내 조기에 의료 조치를 취할 수 있도록 합니다.

2. AI 기반 건강 관리 앱

이러한 앱들은 개인의 건강 데이터를 분석하여 맞춤형 운동 및 식단 계획을 제공합니다.

예를 들어, 'Fitbit'과 같은 건강 관리 앱은 사용자의 활동량, 칼로리 소모량, 수면의 질 등을 분석해 건강 개선을 돕습니다.

2020년 기준, 전 세계적으로 Fitbit 사용자는 약 3천만 명에 이릅니다(출처: Fitbit, 2020).

3. AI 기반 원격 의료 서비스

이러한 서비스는 환자의 건강 데이터를 AI가 분석하여 의사의 진료를 보조합니다.

예를 들어, IBM Watson Health와 같은 시스템은 환자의 의료 기록을 분석하여 진단을 지원하고 최적의 치료 방안을 제안합니다. IBM Watson은 전 세계 230개 이상의 병원과 협력하여 의료 서비스를 제공하고 있습니다(출처: IBM Watson Health, 2021).

4. 건강 위험 요소의 예측 및 관리

AI는 건강 데이터를 분석하여 잠재적인 건강 문제를 예측하고, 이를 관리하기 위한 조치를 제안합니다. 이를 통해 만성 질환의 위험을 사전에 감지하고 적절한 생활 습관 개선 방안을 제시할 수 있습니다.

5. 정신 건강 관리

AI는 사용자의 정신 건강 상태를 모니터링하고, 스트레스 관리 및 감정 조절에 도움을 줍니다. AI 기반의 명상 앱은 사용자의 정서적 상태를 분석하여 맞춤형 명상 및 이완 기술을 제공합니다.

AI 기반 건강 관리 소프트웨어 시장은 연평균 28.6%의 성장률을 보이며, 2026년까지 110억 달러에 이를 것으로 추정됩니다 (출처: MarketsandMarkets, 2021).

AI 기반의 건강 모니터링 및 관리 기술은 개인의 건강을 증진시키고 의료 자원을 효율적으로 활용하는 데 중요한 역할을 합니다. 이러한 기술을 통해 은퇴 후에도 건강한 삶을 유지하고, 잠재적 건강 문제에 빠르게 대응할 수 있습니다. AI는 우리의 건강한 미래를 위한 강력한 도구로 자리매김하고 있습니다.

3.7.

은퇴 후 건강 유지를 위한 AI 솔루션

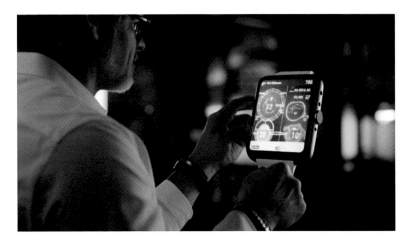

은퇴 후 건강을 유지하는 데 AI 솔루션은 다양하고 혁신적인 방법을 제공합니다. 이러한 솔루션은 개인의 건강 상태를 정교하게 모니터링하고 필요한 건강 관리 조치를 취할 수 있도록 도와줍니다.

1. 개인 맞춤형 운동 프로그램

AI는 사용자의 건강 데이터와 운동 이력을 분석하여 맞춤형 운동 계획을 제공합니다.

예를 들어, AI 피트니스 앱은 사용자의 체력 수준과 선호도에 맞춰 다양한 운동 루틴을 제안합니다. 이러한 맞춤형 운동 프로그램은 개인의 건강 상태와 목표에 따라 지속적으로 조정됩니다.

2. 영양 관리 및 식단 조언

AI는 사용자의 식습관과 건강 목표를 분석하여 건강에 좋은 식단을 추천합니다.

영양 분석 앱은 사용자가 섭취하는 음식의 영양소를 추적하고, 더 건강한 식습관을 위한 조언을 제공합니다. 이는 만성 질환 예방 및 관리에도 중요한 역할을 합니다.

3. 질병 예측 및 관리

AI는 건강 데이터를 분석하여 잠재적인 건강 문제를 예측하고, 적절한 예방 조치를 취할 수 있도록 도와줍니다.

예를 들어, AI 기반의 건강 모니터링 시스템은 혈압, 혈당 수치 등을 지속적으로 감시하여 만성 질환의 위험을 사전에 감지하고 관리할 수 있습니다. 이러한 예측 모델은 의사와 환자 간의 의사소통을 개선하고, 보다 효과적인 건강 관리를 가능하게 합니다.

4. 스트레스 관리와 정신 건강 지원

AI는 사용자의 정신 건강 상태를 모니터링하고, 스트레스 관리에 도움이 되는 조언을 제공합니다.

예를 들어, AI 기반의 명상 앱은 사용자의 정서적 상태를 분석하고, 맞춤형 명상 및 이완 기술을 추천합니다. 이를 통해 은퇴후 정신 건강 유지에 중요한 역할을 합니다.

5. 효과적인 의료 자원 활용

AI는 의료 서비스의 효율성을 높이고, 환자에게 필요한 의료 자원을 더 잘 배분할 수 있도록 도와줍니다.

예를 들어, AI 기반의 의료 시스템은 환자의 의료 기록을 분석하여 최적의 치료 방법을 제안합니다. 이는 의료비 절감과 더 나은 의료 서비스 제공에 기여합니다.

이처럼 AI 기반 건강 관리 솔루션은 은퇴 후 건강 유지에 필수적인 요소로, 개인의 건강을 지키는 데 큰 도움을 줍니다.

3.8.

AI를 활용한 개인 맞춤형 건강 계획

AI 기술의 발전은 건강 관리 방식을 혁신적으로 변화시키고 있습니다. 특히, 개인 맞춤형 건강 계획을 수립하는 데 있어 AI의 역할은 매우 중요합니다. AI를 활용한 맞춤형 건강 계획은 각 개인의 건강 상태, 생활 방식, 신체 조건 등을 고려하여 최적의 건강 관리 방안을 제시합니다.

여기에는 이러한 건강 계획을 세우는 데 도움이 될 몇 가지 방법을 소개합니다.

1. 개인 건강 데이터 분석

AI는 개인의 건강 기록, 운동 데이터, 식습관 등을 분석하여 건강 상태에 대한 정확한 파악을 돕습니다.

예를 들어, 스마트워치와 연동된 건강 앱은 심박수, 수면 패턴, 활동 수준 등을 모니터링하여 건강한 생활 습관을 유지하는 데 도움을 줍니다.

2. 맞춤형 운동 및 식사 계획 제공

AI는 분석된 데이터를 바탕으로 각 개인에게 적합한 운동 루틴과 식사 계획을 제공합니다.

예를 들어, 특정 사용자에게는 근력 강화에 초점을 맞춘 운동 계획을, 다른 사용자에게는 심혈관 건강을 개선하기 위한 운동 계획을 제안할 수 있습니다.

또한, 영양 균형이 잘 잡힌 식사 계획을 통해 건강한 식습관을 갖도록 도와줍니다.

3. 건강 위험 요소 예측 및 관리

AI는 건강 데이터를 분석하여 장래의 건강 위험 요소를 예측하고, 이를 관리하기 위한 조치를 제안합니다.

예를 들어, AI는 심장 질환, 당뇨병, 고혈압 등의 위험 요소를 사전에 감지하고, 이를 예방하기 위한 생활 습관 개선 방안을 제시할 수 있습니다.

4. 진단 및 치료 계획 최적화

AI는 의료진이 제공하는 진단 및 치료 계획을 보완하여 더욱 효과적인 건강 관리를 가능하게 합니다.

예를 들어, 환자의 의료 기록과 최신 의료 연구를 분석하여 가장 적합한 치료 방법을 추천할 수 있습니다.

5. 정신 건강 관리

AI는 정신 건강 상태를 모니터링하고 스트레스 관리, 감정 조절 등에 도움을 줍니다. 예를 들어, AI 기반의 명상 앱은 사용자의 정서적 상태를 분석하여 맞춤형 명상 프로그램을 제공합니다.

AI 기술을 활용한 개인 맞춤형 건강 계획은 은퇴 후 건강한 삶을 영위하는 데 필수적인 요소입니다. 이를 통해 개인은 더욱 건강하고 활기찬 은퇴 생활을 누릴 수 있으며, 잠재적 건강 문제에 대한 조기 대응이 가능합니다.

AI 기술의 발전으로 건강 관리 방식은 지속적으로 혁신되고 있습니다. 이러한 기술을 적극적으로 활용하면, 은퇴 후 건강을 스스로 지킬 수 있도록 도와주며, 더 나은 미래를 만들어 갈 수 습니다.

4장
현재 자산 점검 및 계획

4장에서는 은퇴 후 재정적 안정성을 확보하기 위한 자산 점검 및 계획에 대해 다룹니다. 은퇴 후의 생활은 소득이 줄어들 수 있으므로, 현재의 재정 상태를 정확히 파악하고, 지출을 관리하며, 부채를 청산하는 것이 중요합니다. 이를 위해 구체적인 예산 설정과 경제적 목표 설정, 부채 관리 및 상환 전략을 수립해야 합니다.

4.1. 지출 분석 및 절약 방법

지출 분석: 최근 3개월간의 신용카드, 체크카드 사용 내역 및 은행 거래내역을 통해 지출의 성격과 규모를 파악합니다.

가계부 작성: 매일의 지출을 상세하게 기록하여 정확한 자산 흐름을 이해합니다.

지출 절감: 필수 지출과 선택 지출을 구분하여, 필요하지 않은 지출을 줄입니다. 이를 위해 할인 혜택을 적극 활용하고, 비교 쇼핑을 실시합니다.

4.2. 예산 설정과 경제적 목표

예산 설정: 월별 수입과 지출을 바탕으로 실용적인 가계 예산을 설정합니다. 여기에는 고정비용과 변동비용을 포함시킵니다.

경제적 목표: 은퇴 후 필요한 생활비를 계산하여 장기적인 재정 목표를 설정합니다. 이는 은퇴 후의 소득원과 생활 방식을 고려하여 결정됩니다.

4.3. 부채 관리 및 상환 전략

부채 현황 파악: 모든 부채의 총액, 이자율, 상환 기간을 확인하고, 부채의 우선순위를 정합니다.

상환 계획 수립: 고금리 부채부터 상환하며, 가능한 경우 대출 갈아타기나 재산 매각을 통해 부채를 줄입니다.

부채 상환 실천: 정해진 계획에 따라 꾸준히 부채를 상환하고, 은퇴 전 부채를 최소화합니다.

4장에서는 은퇴를 앞두고 있는 이들이 현재의 재정 상태를 정확히 파악하고, 지속 가능한 재정 관리 계획을 수립하는 방법을 제공합니다. 이를 통해 은퇴 후 안정적인 생활을 유지하며, 재정적인 부담을 줄일 수 있도록 돕습니다.

4.1.

지출 분석 및 절약 방법

은퇴 후에는 소득이 줄어들기 때문에, 불필요한 지출을 줄이는 것이 중요합니다. 이를 위해서는 먼저 자신의 지출을 분석하고, 절약할 수 있는 영역을 찾아야 합니다.

1. 지출 분석

1) 신용카드, 체크카드 사용 내역 확인

최근 3개월간의 신용카드, 체크카드 사용 내역을 출력해 어떤 항목에 얼마를 지출했는지 확인합니다.

2) 은행 거래내역 확인

카드 사용 내역만으로 확인되지 않은 지출을 찾기 위해 은행 거래내역도 살펴봅니다.

3) 가계부를 작성

매일의 지출을 상세하게 기록하여 지출 패턴을 파악합니다.

지출을 분석할 때는 다음과 같은 사항을 고려해야 합니다.

1) 필수 지출과 선택 지출 구분

필수 지출은 생존과 생활에 반드시 필요한 지출이고, 선택 지출은 욕구 충족(원하는 것)을 위한 지출입니다. 필수 지출 중에서도 우선순위를 정하여, 더 중요한 지출에 더 많은 비용을 할당합니다.

2) 고정비와 변동비를 확인

매달 일정하게 지출되는 고정비와 변동될 수 있는 변동비를 파악합니다.

3) 지출의 우선순위 설정

지출 항목별로 우선순위를 설정하여 중요한 지출에 더 많은 비중을 둡니다.

4) 지출의 추세 파악

지출이 증가하는 경향이 있는지 확인하고 원인을 파악해 필요한 경우 조정합니다.

2. 지출 절약 방법

지출을 절감하기 위해서는 다음과 같은 방법을 실천할 수 있습니다.

1) 필수 지출 최소화

통신비, 공과금, 교통비 등 필수적인 지출을 최소화하는 방안을 모색합니다.

2) 선택적 지출 줄이기

외식, 쇼핑, 여가 활동 등의 선택적 지출을 줄입니다.

3) 비교 쇼핑 실천

제품이나 서비스 구매 시 가격 비교를 통해, 저렴한 곳에서 구매합니다.

4) 할인 혜택 활용

할인 쿠폰, 멤버십 카드 등 할인 혜택을 활용해, 지출을 절감합니다.

5) 자발적 절약 습관 형성

에어컨 사용 줄이기, 음식물 쓰레기 감소 등을 통해 지출을 줄입니다.

실제적인 지출 절감 사례

1) 통신비 절감: 통신비는 한 달에 10만 원 이상 지출하는 경우가 많습니다. 통신사 변경, 요금제 조정, 알뜰폰 사용 등으로 통신비를 절감합니다.
2) 외식비 절감: 집에서 요리하거나, 밀키트나 반찬 구입을 통해 외식비를 절감합니다.
3) 쇼핑비 절감: 계획 없이 무분별하게 쇼핑하는 것을 자제하고, 꼭 필요한 물건만 구매해 쇼핑비를 줄입니다.

은퇴 후에도 행복하고 풍요로운 삶을 살기 위해서는 불필요한 지출을 줄이는 것이 중요합니다. 지출을 분석하고, 절감 가능한 부분을 찾아 실천함으로써, 경제적 안정과 삶의 질 향상을 도모할 수 있습니다.

4.2.

예산 설정과 경제적 목표

은퇴 후에는 소득이 줄어들기 때문에, 지출을 관리하는 것이 중요합니다. 이를 위해서는 예산을 설정하고, 재정 목표를 수립하는 것이 도움이 됩니다.

1. 예산 설정

예산은 한 달 동안 사용할 수 있는 돈을 미리 정하는 것입니다. 예산을 설정하면, 지출을 체계적으로 관리할 수 있습니다.

예산 설정 시 고려 사항

1) 필수 지출과 선택 지출 구분: 생존과 생활에 필요한 필수적인 지출과 욕구 충족을 위한 선택 지출을 구분합니다.

2) 지출의 우선순위 정하기: 필수 지출 중에서도 중요도에 따라 우선순위를 설정합니다.

3) 지출 추세 파악하기 : 지출이 증가하는 경향이 있는지 확인하고 필요한 경우 조정합니다.

예산 설정 방법

1) 지난 1년간의 지출 내역 분석: 지난 1년간 지출 내역을 분석하여, 자신이 어떤 항목에 얼마를 지출하는지 파악합니다.
2) 필수 지출과 선택 지출 구분: 필수 지출과 선택 지출을 구분해, 각 항목에 할당할 금액을 결정합니다.
3) 지출의 우선순위 설정: 필수 지출 중에서도 우선순위를 설정하여, 각 항목에 얼마를 할당할지 결정합니다.
4) 비상금 마련: 예기치 못한 지출에 대비하여, 비상금을 준비합니다.

2. 경제적 목표 설정

경제적 목표는 은퇴 후에도 안정적인 생활을 영위하기 위해 필요한 재산을 목표로 설정하는 것입니다. 경제적 목표를 설정하면, 자신의 재무 상황을 파악하고, 재무 계획을 수립하는 데 도움이 됩니다.

경제적 목표 설정 시 고려 사항

은퇴 후 생활비 계산

은퇴 후에도 필요한 생활비를 계산하여, 필요한 자산을 목표로 설정합니다.

1) 은퇴 후 소득 고려

은퇴 후 받을 수 있는 연금, 퇴직금, 재산 소득 등을 고려하여, 필요한 재산을 목표로 설정합니다.

2) 위험 고려

수명 연장, 물가 상승, 경기 침체 등 위험을 고려하여, 현실적인 목표를 설정합니다.

경제적 목표 설정 방법

은퇴 후 생활비 계산.

현재의 생활비를 계산한다.

은퇴 후의 생활 방식을 고려하여, 생활비를 조정한다.

위험을 고려하여, 생활비를 상향 조정한다.

3) 은퇴 후 소득 고려

연금, 퇴직금 등 고정 소득을 고려한다.

재산 소득, 재취업 소득 등 변동 소득을 고려한다.

물가 상승, 수명 연장, 경기 침체 등 위험을 고려해 목표를 조정한다.

예산 설정과 경제적 목표 설정을 통해, 은퇴 후 안정적인 생활을 위한 재무 계획을 수립할 수 있습니다.

4.3.

부채 관리 및 상환 전략

은퇴를 앞두고 있는 40~60대에게 부채 관리와 상환은 재정적 안정성을 확보하는 데 중요한 역할을 합니다. 은퇴 후 줄어드는 소득을 고려하여 효율적인 부채 관리 및 상환 전략을 수립하는 것이 필수적입니다.

적절한 부채 관리 및 상환 전략을 통해 은퇴 후의 재정적 부담을 줄이고, 안정적인 노후 생활을 준비할 수 있습니다.

1. 부채 관리의 중요성
- 재정적 안정성 확보: 은퇴 후 감소하는 소득에 대비하여 미리 부채를 줄이는 것은 금융적 압박을 줄이는 데 중요합니다.
- 금융적 자유 유지: 부채가 적을수록 더 많은 재정적 자유와 선택권을 갖게 되어 노후 생활에 여유를 가져다줍니다.

2. 부채 관리 방법
1) 가계부 작성 및 분석
- 모든 수입과 지출을 정확하게 기록하고 분석합니다.
- 고정 비용과 변동 비용을 구분하여, 어디에 돈이 사용되고 있는지 파악합니다.
- 지출 패턴을 분석하여 불필요한 지출을 파악하고, 절약

방안을 모색합니다.

2) 예산 수립
- 수입과 지출을 기반으로 한 현실적인 월별 예산을 설정합니다.
- 예산 내에서 지출 우선순위를 정하고, 불필요한 지출을 최소화합니다.

3) 지출 절감 전략
- 필요 없는 구독 서비스 취소, 과도한 외식 및 쇼핑 줄이기, 전기 요금 등 공과금 절약 등을 통해 지출을 조정합니다.

4) 부채 상환 계획 수립
- 부채의 종류, 이자율, 상환 기간을 파악하고 상환 계획을 세웁니다.
- 높은 이자율의 부채부터 상환하는 전략을 세우고, 상환 가능한 월별 상환액을 결정합니다.

5) 부채 상환 전략
- 금리가 높은 부채부터 우선적으로 상환하여 이자 부담을 줄입니다.
- 대출을 저금리로 전환하거나 재산 매각을 통해 부채를 상환합니다.

6) 비상금 마련 및 관리

- 의료비, 주거비, 기타 긴급 상황에 대비하여 비상금을 마련합니다.
- 비상금을 안정적으로 관리하고, 필요시 사용합니다.

다음은 부채 관리 실제 사례입니다.
1. 고금리 대출 상환
- 연 20% 고금리 대출을 연 4% 저금리 대출로 전환해 이자 부담을 감소시키고, 상환 기간을 단축했습니다.
- 상환 능력에 맞춘 상환 계획을 수립하고 꾸준히 실행합니다.

2. 재산 매각을 통한 부채 상환
- 부동산을 평수를 줄여 갈아타거나 필요하지 않은 자산을 매각해 부채를 상환합니다.
- 매각 후 남은 자금으로 노후 자금을 마련하거나 다른 투자에 활용합니다.

은퇴 전 부채 관리
- 은퇴 전 부채 최소화: 은퇴 전까지 가능한 한 많은 부채를 상환하여, 은퇴 후 금전적 압박을 줄입니다.
- 안정적인 노후 준비: 재정적으로 안정된 노후 생활을 위해 부채 관리와 상환 전략을 철저히 수립합니다.

은퇴 후 안정적인 재정 상태를 유지하기 위해 체계적이고 꾸준한 부채 관리 및 상환 전략이 필수적입니다. 은퇴를 앞두고

있는 분들에게 부채 관리는 재정적인 자유를 향한 중요한 첫걸음이
됩니다.

5장
은퇴 후 경제적 자립

5060 세대가 은퇴를 준비하며 가장 관심을 가질 내용은 바로
재정적 독립성입니다. 은퇴를 준비하는 과정에서 재정 계획은 매우
중요한 부분입니다. 이 장에서는 은퇴를 위한 재정 계획 수립
방법과 그에 필요한 다양한 요소들을 상세히 살펴보겠습니다.

5.1.

은퇴 준비를 위한 재정 계획

1. 은퇴 목표 설정

 - 은퇴 후 원하는 생활 방식과 필요한 자금을 고려하여 구
체적인 은퇴 목표를 설정합니다.

- 목표는 단기적(5년 이내), 중기적(5~10년), 장기적(10년 이상)으로 구분하여 계획합니다.

2. 자산 평가 및 관리

- 현재 보유한 자산(저축, 투자, 부동산 등)을 평가하고, 은퇴 후 필요한 자금과 비교합니다.

- 자산의 유동성, 위험도, 수익성을 고려하여 조정하고, 필요에 따라 재투자합니다.

3. 소득원 분석 및 확보

- 은퇴 후 예상되는 정기적 소득원(연금, 투자 수익, 부동산 임대료 등)을 분석합니다.

- 소득원이 부족한 경우, 추가적인 소득원 확보 방안을 모색합니다(재취업, 부업, 투자 등).

4. 비용 및 지출 계획

- 은퇴 후 예상되는 정기적 및 비정기적 지출을 추산합니다(생활비, 의료비, 여행 등).

- 비용 절감 방안을 고려하고, 불필요한 지출을 최소화합니다.

5. 의료비 및 건강 관리 계획

   - 은퇴 후 건강 관리 및 의료비에 대한 계획을 수립합니다.

   - 건강 보험, 장기 간병 보험 등을 고려하여 의료비 부담을 줄입니다.

6. 비상금 설정

   - 긴급한 상황에 대비하여 충분한 비상금을 마련하고 관리합니다.

   - 비상금은 쉽게 접근할 수 있으면서도 안정적인 수익을 제공하는 금융상품에 보관합니다.

7. 은퇴 자금 계획

   - 은퇴 후 필요한 총 자금을 추정하고, 현재 자금 대비 부족분을 파악합니다.

   - 부족분을 메울 수 있는 다양한 방안(저축 증대, 투자, 자산 재배치 등)을 고려합니다.

8. 은퇴 시나리오 테스트

   - 다양한 은퇴 시나리오(조기 은퇴, 일정 연장, 부분 은퇴 등)를 고려하여 계획을 수립합니다.

   - 각 시나리오에 따른 재정적 영향을 분석하고, 유연한 계획

을 수립합니다.

은퇴 준비는 일찍 시작할수록 좋으며, 지속적인 검토와 조정이 필요합니다. 재정 계획을 통해 은퇴 후에도 안정적이고 만족스러운 생활을 영위할 수 있습니다.

5.2.

한국의 연금 시스템 이해

연금은 은퇴 후 재정적 안정성을 제공하는 주요 수단 중 하나입니다. 국민연금, 개인연금, 공적 연금, 회사 연금 등 다양한 연금 상품을 활용하여 장기적인 재정 계획을 세울 수 있습니다.

아래에서는 이러한 연금과 이들의 활용방안에 대해 알아보겠습니다.

1. 기초연금

기초연금은 한국에서 만 65세 이상의 노인들을 대상으로 하는 정부의 기본적인 노후 보장 제도입니다. 이 연금은 노인들의 기본적인 생활을 지원하고, 노후 빈곤을 완화하는 데 목적이 있습니다.

1) 대상자 선정 및 수급 자격

- 대상자: 만 65세 이상의 노인 중 소득 하위 70%에 해당하는 사람들입니다.

- 소득 및 재산 조사: 소득 인정액을 기준으로 하위 70%에 해당하는지 여부를 조사합니다. 이는 노인 가구의 소득, 재산 수준 및 생활실태를 반영합니다.

- 신청: 기초연금은 자동으로 지급되지 않으며, 해당자가 직접 신청해야 합니다.

2) 지급 금액 및 조정

- 2022년 기준: 월 최대 307,500원을 받을 수 있습니다.

- 연도별 조정: 매년 소득 재산 수준과 물가상승률 등을 고려하여 조정됩니다.

3) 신청 및 수급 절차

- 신청 절차: 관할 구청, 읍·면사무소, 동 주민센터 또는 온라인을 통해 신청할 수 있습니다.

- 서류 준비: 신분증, 소득 및 재산 관련 증빙 서류가 필요하며 상세한 내역은 문의해야 합니다.

- 심사 및 승인: 제출된 서류를 바탕으로 심사가 이루어지며, 자격이 확인되면 수급이 승인됩니다.

4) 수급 제외 대상

- 소득 상위 30%에 해당하는 노인들은 기초연금 수급 대상에서 제외됩니다.

- 공무원연금, 사립학교교직원연금, 군인연금, 별정우체국연금 등 직역연금 수급자 및 배우자도 대상에서 제외됩니다.

5. 기초연금과 국민연금의 관계

- 기초연금은 국민연금과 별개로 운영되며, 국민연금 수급자도 기초연금 대상자라면 수령이 가능합니다.

- 다만, 국민연금과 기초연금의 금액은 상호 연계되어 있으며, 부부가 모두 수급 받는 경우 감액될 수 있습니다.

6) 주의사항

- 정기적인 재심사: 소득이나 재산 상태의 변화에 따라 정기적으로 재심사가 이루어질 수 있습니다.

- 변동 사항 신고: 소득이나 재산에 변동이 있을 경우, 반드시 신고해야 합니다.

7) 신청 및 관리 팁

- 정기적인 신청: 소득 및 재산 상태가 변할 수 있으므로, 정기적으로 신청하는 것이 좋습니다.

- 정보 업데이트: 관련 법규나 정책이 변경될 수 있으니, 최신 정보를 주기적으로 확인합니다.

기초연금은 노후 생활에 있어 중요한 안전망 역할을 하므로, 해당자는 반드시 신청하여 혜택을 받도록 해야 합니다. 이를 위해 필요한 절차와 조건을 숙지하고, 적극적으로 신청하고 관리하는 것이 중요합니다.

2. 국민연금

국민연금은 한국에서 근로자 및 자영업자를 대상으로 하는 공적 연금 제도입니다. 은퇴 후의 안정적인 노후 생활을 지원하기 위해 설계되었으며, 장기적인 재정 안정성을 제공하는 데 중요한 역할을 합니다. 국민연금에 대한 상세한 정보는 다음과 같습니다.

1. 국민연금의 목적 및 중요성

- 목적: 국민연금은 노후에 기본적인 생활을 보장하고, 노령, 장애, 사망 등으로 인한 소득 상실에 대비하기 위해 설립되었습니다.

- 중요성: 국민연금은 개인의 노후 자금 마련뿐만 아니라, 사회적 안전망으로서의 역할도 수행합니다.

2. 가입 대상 및 납부 방식

- 가입 대상: 만 18세 이상 60세 미만의 근로자 및 자영업자로, 대한민국 국민이면 누구나 가입 대상입니다.

- 납부 방식: 근로자의 경우 고용주와 근로자가 각각 급여의 일정 비율(현재는 총 급여의 9%, 개인과 고용주 각각 4.5%)을 납부합니다.

3. 연금 수급 자격 및 수령 시기

- 수급 자격: 10년 이상 국민연금 보험료를 납부한 사람이 수급 자격을 갖게 됩니다.

- 수령 시기: 연금 수령 개시 연령은 출생연도에 따라 다르며, 일반적으로 만 60세부터 수령이 가능합니다.

4. 연금 금액 계산 방식

- 계산 방식: 연금 금액은 납부 기간과 납부 금액, 평균소득 등에 따라 계산됩니다.

- 추가 요인: 물가상승률과 소득재분배 기능 등이 연금액 산정에 영향을 줍니다.

5. 조기 노령 연금 및 연기 연금

- 조기 노령 연금: 정해진 연금 수급 시기보다 최대 5년 일찍 연금을 수령할 수 있으나, 수령액이 감소됩니다.

- 연기 연금: 연금 수금을 최대 5년까지 연기할 수 있으며, 연기할수록 더 많은 금액을 수령할 수 있습니다.

6. 연금 수급권의 상속

- 상속: 납부자가 사망할 경우, 배우자나 자녀 등이 남은 연금 수급권을 상속받을 수 있습니다.

7. 추가적인 연금 상품과의 결합

- 개인 연금 및 퇴직연금과의 결합: 국민연금 외에도 개인적으로 준비한 연금 상품이나 회사의 퇴직연금과 결합하여 노후 자금을 더욱 효과적으로 관리할 수 있습니다.

8. 주의사항 및 관리 팁

- 지속적인 관심과 확인: 자신의 국민연금 계좌를 주기적으로 확인하고, 연금 관련 최신 정보에 주의를 기울이는 것이 중요합니다.

- 은퇴 계획에 맞춤: 자신의 은퇴 계획에 맞게 연금 수급 시기를 조정하고, 필요한 경우 전문가의 상담을 받는 것이 좋습니다.

국민연금은 많은 사람들에게 노후 생활의 기본적인 토대를 제공합니다. 그렇기 때문에 국민연금에 대한 정확한 이해와 적절한 계획 수립이 중요합니다.

1. 퇴직연금

퇴직연금은 근로자가 은퇴할 때 받게 되는 연금으로, 회사에서 근무하는 동안 회사가 일정 금액을 적립하여 만들어집니다. 퇴직연금은 확정급여형(DB)과 확정기여형(DC), 개인형 퇴직연금(IRP)의 세 가지 유형으로 나눌 수 있습니다.

1. 퇴직연금의 개념 및 목적

- 퇴직연금의 목적은 근로자가 안정적인 노후를 보낼 수 있도록 은퇴 후 일정한 수입을 보장하는 것입니다.

- 근로자의 은퇴 후 생활을 지원하며, 장기적인 재정 계획의 일환으로 활용됩니다.

2. 퇴직연금의 유형

1) 확정급여형(DB)

- DB형은 고용주가 근로자의 퇴직 후 연금 금액을 확정해 주는 방식입니다.

- 근로자의 재직 기간과 급여 수준에 따라 연금액이 결정되며, 고용주가 투자 위험을 부담합니다.

- 은퇴 시 받게 될 연금액이 미리 정해져 있어 근로자에게 안정적인 노후 자금을 제공합니다.

2) 확정기여형(DC)

- DC형은 고용주와 근로자가 일정 금액 또는 일정 비율로 기금에 기여하는 방식입니다.

- 투자 수익률에 따라 연금액이 변동할 수 있으며, 근로자가 투자 위험을 부담합니다.

- 근로자는 자신의 계좌를 관리하고, 투자 방향을 결정할 수 있는 장점이 있습니다.

3) 개인형 퇴직연금(IRP)

- IRP는 개인이 자율적으로 운용하는 퇴직연금 계좌로, DB형 또는 DC형에서 이전한 퇴직금과 개인적으로 추가 기여금을 통해 운용됩니다.

- 근로자가 직접 투자 상품을 선택하고 운용하며, 유연한 투자 관리가 가능합니다.

- 다양한 투자 상품 중에서 선택하여 자산을 분산시킬 수 있으며, 퇴직 후에도 계속 투자하여 수익을 창출할 수 있습니다.

3. 퇴직연금의 중요성 및 관리 방법

- 퇴직연금은 근로자의 은퇴 후 생활을 지원하는 중요한 재원으로, 재정적 안정성 확보에 기여합니다.

- 정기적으로 자신의 퇴직연금 계좌를 확인하고, 투자 상품의 성과를 모니터링하는 것이 중요합니다.

- 전문적인 재무 상담을 받아 투자 포트폴리오를 관리하는 것도 은퇴 자금의 효율적인 관리에 도움이 됩니다.

4. 퇴직연금 선택 시 고려사항

- 각 유형의 특징과 위험을 충분히 이해하고 자신의 재정 상태와 은퇴 목표에 맞는 연금 유형을 선택해야 합니다.

- 장기적인 관점에서 투자 결정을 내리고, 시장 변동에 따른 위험을 고려하는 것이 중요합니다.

5. 퇴직연금의 미래 전망

- 노후 준비의 중요성이 강조되면서 퇴직연금의 역할이 더욱 중요해지고 있습니다.

- 기존의 제도 개선과 더불어 다양한 투자 상품의 출시가 예상되며, 근로자의 선택권과 투자의 유연성이 증가할 것으로 보입니다.

퇴직연금은 근로자가 은퇴 후 안정적인 생활을 유지하는 데 핵심적인 역할을 합니다. 따라서 근로자는 자신에게 적합한 퇴직연금 유형을 선택하고, 적극적으로 관리하여 장기적인 재정 안정성을 확보하는 것이 중요합니다.

2. 개인연금

개인연금은 개인이 자발적으로 가입하여 노후 자금을 마련하는 사적 연금입니다. 이 연금은 다양한 금융 상품을 통해 운용되며, 투자자의 선호와 위험 감수 능력에 따라 선택할 수 있는 여러 옵션이 있습니다. 개인연금은 세제 혜택이 있는 연금저축과 투자성향에 따라 선택할 수 있는 변액연금 등이 있습니다.

1. 개인연금의 목적 및 중요성

- 개인연금의 주된 목적은 은퇴 후 개인의 생활비를 보장하는 것입니다.

- 국민연금이나 회사의 퇴직연금만으로는 불충분한 노후 자금을 보완하고, 장기적인 재정 계획의 일부로 활용됩니다.

- 투자자가 원하는 만큼의 자금을 적립하고, 투자 방법을 선택할 수 있어 맞춤형 노후 자금 마련이 가능합니다.

2. 개인연금의 유형

연금저축

- 연금저축은 정기적인 적립을 통해 장기간 자금을 모으는 방식입니다.

- 세제 혜택이 부여되며, 연간 일정 금액까지 세액 공제를 받을 수 있습니다.

- 일정 기간이 지난 후 연금으로 수령하게 되며, 원금 보장형과 수익률에 따른 변동형 중 선택할 수 있습니다.

2) 변액연금

- 변액연금은 투자 수익률에 따라 연금액이 변동하는 상품입니다.

- 주식, 채권, 부동산 등 다양한 투자 대상에 투자되며, 수익률이 높은 만큼 위험도 커질 수 있습니다.

- 투자 성향에 따라 다양한 투자 옵션 중 선택할 수 있어 개인의 투자 목표에 따른 자유도가 높습니다.

3. 개인연금 가입 시 고려사항

- 자신의 재정 상태, 은퇴 계획, 위험 감수 능력을 고려하여 적절한 연금 상품을 선택해야 합니다.

- 상품별 수수료, 위험도, 예상 수익률, 세제 혜택 등을 면밀히 비교 분석하여 결정하는 것이 중요합니다.

- 장기적인 관점에서 안정적인 자산 증식을 목표로 설정해야 합니다.

4. 개인연금의 세제 혜택

- 연금저축의 경우 연간 일정 금액까지 세액 공제 혜택을 받을 수 있습니다.

- 세액 공제 혜택은 장기적으로 봤을 때 상당한 세금 절감 효과를 가져올 수 있습니다.

5. 개인연금 관리 전략

- 개인연금은 장기적인 관점에서 관리해야 하며, 시장 상황과 자신의 재정 상태에 따라 적절히 조정하는 것이 필요합니다.

- 은퇴 전과 후의 재정 상황 변화에 맞춰 투자 전략을 수정하고, 필요 시 전문가와 상담하는 것도 좋은 방법입니다.

3. 주택연금

주택연금은 노후 자금을 마련하기 위해 60세 이상의 주택 소유자가 자신의 주택을 담보로 사용하여 매월 일정 금액을 연금처럼 받는 제도입니다. 이 제도는 은퇴자들이 자신의 주택 가치를 활용하여 안정적인 노후 생활을 영위할 수 있게 도와줍니다.

1. 주택연금의 개념

- 주택연금은 주택을 담보로 활용하여, 주택 소유자에게 매월 정해진 금액을 연금 형태로 지급합니다.

- 주택 소유자는 주택을 보유한 상태에서 주택 가치에 따라 결정되는 금액을 정기적으로 수령할 수 있습니다.

2. 주택연금의 대상 및 조건

- 주택연금은 만 60세 이상의 주택 소유자가 대상입니다.

- 대상 주택은 시가가 일정 금액 이상이어야 하며, 소유자가 거주하고 있는 주택이어야 합니다.

- 대출이나 다른 담보 설정이 없는 자유로운 주택이어야 합니다.

3. 주택연금의 장점

- 주택을 팔지 않고도 주택 가치를 활용하여 안정적인 수입을 얻을 수 있습니다.

- 노후 생활을 위한 추가적인 재정적 부담 없이, 기존에 살던 집에서 계속 거주할 수 있습니다.

- 주택 가격 상승에 따른 이득도 기대할 수 있습니다.

4. 주택연금 수령액 결정 요소

- 주택 가치: 주택의 시장 가격이 높을수록, 받을 수 있는 연금액도 증가합니다.

- 연령: 신청자의 연령이 높을수록, 매월 받는 연금액이 증가합니다.

- 금리: 주택연금의 금리가 낮을수록, 받을 수 있는 연금액이 증가합니다.

5. 주택연금의 주의사항

- 주택연금은 주택 가치에 따라 연금액이 결정되므로, 부동산 시장의 변동성에 영향을 받을 수 있습니다.

- 주택연금 계약을 중도에 해지하게 되면, 받은 연금액과 이자를 포함한 금액을 반환해야 합니다.

- 주택연금은 상속재산 가치에 영향을 줄 수 있으므로, 가족과 충분한 상의가 필요합니다.

6. 주택연금 가입 절차

- 주택연금에 가입하기 위해서는 해당 금융기관을 통해 상담을 받고, 필요한 서류를 준비하여 신청해야 합니다.

- 주택 가치 평가와 연금액 산정, 계약 조건에 대한 상세한 설명을 받게 됩니다.

주택연금은 은퇴 후 안정적인 수입원을 확보하고자 하는 노년층에게 매력적인 옵션이 될 수 있습니다. 그러나 이 제도에 대한 충분한 이해와 함께, 장단점을 면밀히 고려한 후 신중하게 결정하는 것이 중요합니다.

5.3.

연금 계획 및 활용

은퇴 후 경제적 자립을 위한 전략과 연금 계획의 수립은 중요한 과제입니다. 각각의 연금 제도는 장단점이 있으며 개인의 노후 계획과 재정 상태에 따라 적절한 연금을 선택하는 것이 중요합니다.

예를 들어, 국민연금은 안정적인 수입을 제공하지만, 수령액이 한정되어 있습니다. 반면, 개인연금은 투자에 따라 수익이 변동할 수 있으나, 잘 관리한다면 더 높은 수익을 얻을 수 있습니다.

여기서 효과적인 연금 체계 활용과 재정 관리 전략에 대해 상세히 설명합니다.

1. 3층 연금 체계 활용

한국의 3층 연금 체계는 국민연금, 퇴직연금, 개인연금으로 구성되어 있습니다. 이 체계를 통해 은퇴 후 재정적 안정성을 확보할 수 있습니다.

- 국민연금: 근로자와 자영업자는 매월 월급의 9%를 국민연금으로 납부합니다. 이 중 개인과 회사가 각각 4.5%를 부담합니다.

- 퇴직연금: 회사에서 근무하는 동안 적립되는 연금으로, 연봉의 1년치가 1개월치로 적립됩니다.

- 개인연금: 개인연금저축, 연금펀드, 연금보험 등 자발적인 추가 저축을 통해 준비합니다.

3층 연금

3층 : 개인 보장_개인연금

2층 : 기업 보장_퇴직연금

1층 : 국가 보장_국민연금

3층 연금

1. 국민연금: 월 9% 적립 (개인과 회사 각 4.5%)

2. 퇴직연금: 1년에 1개월 치 적립

3. 개인연금: 개인연금저축, 연금펀드, 연금보험

2. 연금 수령 시기와 금액 최적화

연금 수령 시기의 조정은 수령 금액에 큰 영향을 미칩니다. 조기 수령은 감액되지만, 연기 수령은 추가 수령액이 증가합니다.

3. 재산 관리 및 활용

주택연금 등을 통해 보유 주택을 노후 자금으로 전환하거나 기타 재산을 매각 또는 투자하여 추가 노후 자금을 확보합니다.

4. 금융 지식 향상 및 재테크 실천

은퇴 준비 과정에서 금융 지식을 향상시키고 적절한 재테크 전략을 수립하는 것이 중요합니다. 다양한 투자 수단을 활용하여 노후 자금을 증식시키는 방안을 모색합니다.

5. 생활비 절감 및 지출 관리

은퇴 후 생활비 절감을 위한 구체적인 계획을 수립하고 실행합니다. 필수 지출에 대한 예산을 책정하고 철저한 지출 관리를 통해 불필요한 지출을 줄입니다.

6. 연금 계획 및 활용

연금은 은퇴 후 안정적인 생활을 위한 핵심 요소입니다. 각 연금 제도의 특성을 이해하고 개인의 노후 계획에 맞춰 최적의 연금을 선택합니다. 국민연금은 안정적 수입을 제공하지만, 개인연금은 투자에 따라 수익이 변동할 수 있습니다.

7. "평생 현역"의 중요성

노후에도 즐길 수 있는 활동을 찾고 준비하는 것은 소득원으로서뿐만 아니라 삶의 만족도를 높이는 데 중요합니다. "평생 현역"은 단순히 오래 일하는 것이 아니라, 즐기면서 할 수 있는 일을 찾는 것을 의미합니다.

이상의 방법들을 통해 은퇴 후 경제적 자립을 달성하고, 안정적인 생활을 영위할 수 있습니다. 이를 위해 장기적인 계획과 철저한 준비가 필요합니다.

5.4.

저축과 투자의 균형

5.3. 은퇴 후 저축과 투자의 균형 전략

은퇴 후 재정적 안정성을 위해 저축과 투자 사이에서 균형을 찾는 것이 중요합니다. 균형 잡힌 저축 및 투자 전략은 장기적인 안정성과 재산 증식을 동시에 추구합니다.

1. 장기 저축 계획 수립

- 목표 설정: 은퇴 후 필요한 생활비를 예측하고, 이에 맞추어 저축 목표를 설정합니다.

- 저축 방법: 매월 수입의 일정 비율을 장기 저축 계좌에 꾸준히 적립합니다.

- 생활비 절약: 현재의 지출을 검토하고 절약할 수 있는 방안을 모색합니다.

2. 다양한 투자 옵션 탐색

- 투자 다각화: 장기적인 목표를 위해 주식, 채권, 부동산, ETF 등 다양한 투자 수단을 탐색합니다.

- 리스크 분산: 변동성이 높은 주식과 안정적인 채권의 적절한 비율을 유지하여 전체 투자 포트폴리오의 위험을 관리합니다.

3. 위험 관리와 투자 포트폴리오 다각화

- 개인 위험 감수 능력: 각자의 투자 스타일과 위험 감수 능력에 맞는 포트폴리오를 구성합니다.

- 다각화 전략: 투자 위험을 분산하기 위해 다양한 산업과 지역에 투자하며, 고배당 주식과 채권에 중점을 둡니다.

4. 주기적인 포트폴리오 재조정

- 시장 변화에 대응: 경제 및 시장 상황 변화에 따라 포트폴리오를 주기적으로 재조정합니다.

- 안정성 강화: 은퇴 시점에 접근함에 따라, 주식 비중을 줄이고 현금성 자산이나 채권 비중을 늘립니다.

5. 긴급 자금 준비

- 긴급 상황 대비: 은퇴 후 예상치 못한 상황에 대비하여, 유동성이 높고 안정적인 자금을 준비합니다.

- 현금 유동성 확보: 정기예금, MMF, 또는 단기 채권에 투자하여 언제든 접근 가능한 현금 유동성을 확보합니다.

6. 퇴직연금과 개인연금 활용

- 퇴직연금 활용: 퇴직연금은 은퇴 후 안정적인 수입의 기반을 마련합니다.

- 개인연금 선택: 다양한 투자 옵션이 있는 개인연금 상품을 선택하여 장기적인 자산 증식 목표에 부합하도록 관리합니다.

결론

은퇴 후 재정적 안정성을 위해서는 저축과 투자의 균형이 필수적입니다. 은퇴 전 장기적인 저축 계획을 세우고, 다양한 투자 옵션을 고려하여 위험을 관리하고 포트폴리오를 다각화하는 것

이 중요합니다. 이를 통해 은퇴 후에도 안정적인 재정 상태를
유지하며 투자를 통해 자산을 늘려갈 수 있습니다.

5.5.

소득 다각화 전략

은퇴 후 재정적 안정성과 생활의 질을 높이기 위해서는 소득원
의 다양화가 필수적입니다. 이를 통해 경제적 불확실성을 줄이
고, 노후에 안정된 생활을 누릴 수 있습니다. 다음은 소득 다각
화를 위한 상세한 전략들입니다.

1. 부업 또는 프리랜싱 활동: 은퇴 후에도 본업 외의 수입원을

창출하기 위해 부업이나 프리랜싱 활동을 고려해볼 수 있습니다. 예를 들어, 자신의 전문성을 활용한 컨설팅 서비스, 온라인 강의 제공, 글쓰기, 디자인 작업 등이 가능합니다. 이러한 활동은 새로운 도전을 경험하고 취미와 열정을 삶에 통합하는 데 도움이 될 수 있습니다.

2. 다양한 투자 옵션 탐색: 재테크를 통해 재산을 늘리고 물가 상승률을 상쇄하기 위해 다양한 투자 수단을 고려해야 합니다. 주식, 채권, 부동산 투자, 상장지수펀드(ETF), 투자형 보험 상품 등이 있습니다. 각 투자 수단은 리스크와 수익률이 다르므로, 투자 전에 충분한 조사와 고민이 필요합니다.

3. 임대 수입 활용: 부동산 임대는 은퇴 후 안정적인 수입원을 제공할 수 있습니다. 보유 부동산을 임대하여 정기적인 수입을 얻거나, 에어비앤비와 같은 단기 임대를 통해 추가 수익을 얻는 방법도 고려할 수 있습니다. 부동산 투자와 관련된 세금, 유지 보수 비용, 임대 관리 등에 대한 철저한 계획이 필요합니다.

4. 온라인 비즈니스: 디지털 시대의 장점을 활용하여 온라인 쇼핑몰 운영, 블로그, 팟캐스트, 유튜브 채널 운영 등을 통해 추가 수익을 창출할 수 있습니다. 이는 상대적으로 낮은 초기 투자로 시작할 수 있으며, 유연한 근무 시간과 장소의 자유를 제공합니다.

5. 취미를 수익으로 전환: 취미나 관심사를 활용하여 추가 수입

을 얻을 수 있습니다. 예를 들어, 요리, 공예, 사진 촬영, 음악 등을 통해 제작된 제품을 온라인 마켓플레이스에서 판매하거나, 관련 강좌를 제공할 수 있습니다.

6. 연금 및 보험 활용: 은퇴 계획에 연금과 보험 상품을 포함시켜 장기적인 재정적 안정성을 확보합니다. 연금 저축 계좌, 연금 보험 등을 통해 은퇴 후 수입을 보장 받을 수 있으며, 생명 보험 또는 연금 보험을 통해 위험 관리를 수행합니다.

이러한 다양한 소득원의 활용은 은퇴 후의 경제적 독립성을 강화하고, 노후 생활의 질을 향상시키는 데 중요한 역할을 합니다. 소득원 다각화는 재정적 안정성을 제공하며, 생활에 대한 불안감을 줄여줍니다. 이러한 전략은 장기적인 계획과 철저한 준비를 통해 실현될 수 있습니다.

5.6.

부동산과 추가 수입원 창출

은퇴를 준비하는 중장년층에게 부동산은 중요한 추가 수입원이 될 수 있습니다. 부동산 투자는 장기적인 수입을 제공하며, 특히 주거용 부동산은 안정적인 임대 수익을 창출하는 효과적인 방법입니다. 여기에는 주택 연금의 세부 사항도 포함되어, 은퇴 후 안정적인 수입원을 마련하는 방법을 제시합니다.

부동산 임대 수익

부동산 임대를 통해 정기적인 수입을 얻을 수 있습니다. 이는 은퇴 후의 고정된 소득원으로 활용될 수 있습니다.

임대 부동산 관리에는 임대료 설정, 세입자 관리, 유지 보수 등이 포함되므로 체계적인 관리 계획이 필요합니다.

주택 연금의 활용

주택 연금은 자신의 주택을 담보로 일정 금액을 매월 연금 형태로 받는 제도입니다.

주택 연금은 주택 가치를 바탕으로 안정적인 수입원을 제공하며, 은퇴자에게 재정적 안정감을 줄 수 있습니다.

주택 연금은 은퇴 후에도 현재 거주하고 있는 집에서 계속 거주할 수 있게 해주며, 주택을 매각하지 않고도 수입을 창출할 수 있는 방법입니다.

부동산 투자 전략

부동산 시장을 면밀히 분석하고, 투자 가치가 높은 지역이나 부동산 유형을 선택하는 것이 중요합니다.

부동산 투자는 장기적인 관점에서 접근해야 하며, 시장 변화에 따른 리스크 관리도 필요합니다.

주택 개조 및 업그레이드

주택 개조나 업그레이드를 통해 임대 가능한 공간을 만들거나, 임대 수익을 높일 수 있습니다.

예를 들어, 다가구 주택으로의 변환, 지하나 다락을 임대용으로 개조하는 등의 방법이 있습니다.

부동산을 통한 추가 수입원 창출은 은퇴 후의 경제적 자립성을 강화하는 중요한 방법 중 하나입니다. 이를 통해 안정적인 재정 상태를 유지하고, 은퇴 생활을 더욱 풍요롭게 만들 수 있습니다. 주택 연금과 같은 제도는 은퇴자에게 매력적인 옵션을 제공하며, 부동산 임대를 통한 수입 창출은 장기적인 재정 계획의 일부가 될 수 있습니다.

6장
인공지능을 통한 경제적 자유 획득

6장에서는 인공지능(AI)을 활용하여 재정적 자유를 달성하는 방법에 대해 탐구합니다. 현재 우리는 인공지능이라는 강력한 도구를 통해 재정 관리의 새로운 지평을 열고 있습니다. 이는 단순히 재정 관리 방식의 변화를 넘어서, 우리의 삶을 더욱 풍요롭고 안정적으로 만드는 중요한 전환점이 되고 있습니다.

인공지능 기술은 개인의 재정 상태를 분석하고, 최적화된 재정 계획을 제공함으로써 재정적 자유를 향한 길을 안내합니다. 예를 들어, AI는 사용자의 소득, 지출, 저축, 투자 성향 등의 데이터를 분석하여, 개인에게 맞는 최적의 재정 관리 전략을 제시합니다. 이를 통해 사용자는 더 효율적으로 자산을 관리하고, 장기적인 재정적 안정성을 확보할 수 있습니다.

더 나아가, 인공지능은 재정적 결정을 위한 강력한 도구로서의 역할을 수행합니다. AI 기반의 투자 자문 서비스는 시장 동향을 분석하고, 위험을 관리하며, 수익성 높은 투자 기회를 제시합니다. 이러한 서비스를 이용함으로써 사용자는 재테크와 투자 분야에서 보다 전문적인 지원을 받을 수 있으며, 재정적 자유를 실현하는 데 한 걸음 더 다가갈 수 있습니다.

이처럼 6장에서는 인공지능이 재정 관리에 어떻게 혁신을 가져오고 있는지, 그리고 이를 통해 어떻게 재정적 자유를 달성할 수 있는지에 대해 깊이 있게 다룹니다. 인공지능을 통한 재정 관리는 더 이상 먼 미래의 이야기가 아니며, 현재 우리가 적극적으로 활용해야 할 중요한 자산 관리 방법입니다. 이를 통해 재정적 자유를 달성하고, 더 풍요로운 삶을 살아가는 방법을 제시합니다.

6.1.

AI 기반 재정 계획 및 관리

"나만의 재정 관리자, AI를 만나보세요!"

이 문장이 어떻게 내 삶에 적용될 수 있을까요? 생각해 보면 우리는 이미 일상에서 많은 AI 기술을 사용하고 있습니다. 예를 들어, 스마트폰의 음성 인식 기능이나, 온라인 쇼핑몰에서 나에게 딱 맞는 상품을 추천해 주는 것도 다 AI의 손길입니다.

이제 이 기술이 재정 관리에도 적용됩니다. 인공지능 기반 재정 계획은 마치 나만의 맞춤형 재정 관리자처럼, 내 수입, 지출, 저축 패턴을 분석하고 최적의 재정 관리 방안을 제안해 줍니다. 이를 통해 우리는 더 효율적으로 돈을 관리할 수 있고, 재테크에도 한 걸음 더 다가갈 수 있습니다.

"그럼, 정말 나에게 맞는 계획을 짜줄까?" 의심스러울 수도 있지만, 실제로 AI는 우리의 소비 습관, 생활 패턴 등 다양한 정보를 분석해 개인에게 최적화된 재정 계획을 제시합니다. 예를 들어, AI는 내가 커피를 얼마나 자주 사 마시는지, 월말에는 어떤 지출이 많은지 등을 파악하고, 나에게 맞는 절약 방법이나 투자 전략을 제안해 줍니다.

또한, 인공지능은 시장의 변화를 실시간으로 분석하고, 이를 바탕으로 투자 조언을 해주기도 합니다. 이렇게 AI가 제공하는 정보와 조언을 활용하면, 우리는 더욱 똑똑하고 안전하게 자산을 불릴 수 있습니다.

이처럼 AI 기반 재정 관리는 우리에게 새로운 재정적 기회를 열어주고 있습니다. 이제 우리는 AI의 도움으로 보다 쉽고 효과적으로 재정적 자유를 향해 나아갈 수 있습니다. 나만의 AI 재정 관리자와 함께라면, 더 풍요롭고 안정적인 미래가 기다리고 있을 것입니다.

6.2.

은퇴 자금의 효율적 관리 전략

은퇴 후 안정적인 삶을 위해선 은퇴 자금의 효율적 관리가 필수적입니다. "내 돈, 어떻게 관리해야 할까?"라는 질문에 AI는 실제로 매우 유용한 답을 제공해 줄 수 있습니다. 내 생활 패턴, 소비 습관, 장기 목표를 기반으로 최적화된 관리 전략을 짜줍니다.

1. 장기 투자 계획 수립

AI는 장기 투자 계획을 수립하는 데 도움을 줄 수 있습니다. 은퇴 자금을 위한 투자는 장기적인 관점에서 접근해야 하며, 시장의 변화와 리스크 관리가 중요하죠. AI는 다양한 시장 데이터를 분석하여, 우리의 목표와 위험 감수 능력에 맞는 투자 포트폴리오를 제안합니다. 이를 통해 보다 안정적이고 꾸준한 수익을 기대할 수 있어요.

2. 은퇴 자금 위한 예산 관리

AI는 은퇴 자금을 위한 예산 관리에도 큰 도움이 됩니다. 은퇴 후의 수입과 지출을 예측하고, 어떻게 자금을 배분해야 할지를 알려주죠. AI는 우리의 소비 패턴을 분석하여, 어디에 비용을 절감할 수 있을지, 어떤 지출이 필수적인지를 파악해 줍니다. 예를 들어, 불필요한 구독 서비스를 줄이거나, 에너지 효율이 좋은 가전제품을 사용하여 장기적인 비용 절감을 도모할 수 있죠.

3. 은퇴 자금의 안정성 확보

은퇴 자금의 안전성을 확보하는 것도 AI의 중요한 역할 중 하나입니다. AI는 시장의 변화를 실시간으로 감지하고, 위험 요소를 미리 파악하여 우리의 자산을 보호하는데 기여할 수 있어요. 예상치 못한 시장의 변동성에 대비하여, 자금을 보다 안전하게 관리할 수 있도록 도와줍니다.

4. 은퇴 후 생활 계획에 맞춰 자금 분배

마지막으로, AI는 은퇴 후의 생활 계획에 맞춰 자금을 분배하는데에도 유용합니다. 은퇴 후 여행을 계획하고 계시나요? 아니면 새로운 취미 생활을 시작하고 싶으신가요? AI는 이런 개인적인 목표를 고려하여, 필요한 시점에 필요한 만큼의 자금이 사용될 수 있도록 계획을 세워줍니다.

이처럼, AI는 은퇴 자금의 효율적 관리를 위한 강력한 도구가 될 수 있습니다. AI와 함께라면, 우리는 보다 안정적이고 행복한 은퇴 생활을 준비할 수 있겠죠. AI의 도움으로 더 스마트한 은퇴 자금 관리 전략을 세워보세요!

6.3.

투자 및 자산 증식을 위한 AI 활용

은퇴 후의 안정적인 재정 상태를 위해서는 투자와 자산 증식이 중요한 역할을 합니다. AI 기술의 발달로 이제는 누구나 쉽고 효율적으로 투자를 할 수 있는 시대가 되었습니다.

1. 개인 맞춤형 투자 전략 제공

AI는 복잡한 금융 시장의 데이터를 분석하여, 개인에게 맞춤형 투자 전략을 제공합니다.

예를 들어, AI는 개인의 투자 성향과 재정 상태를 분석하여, 주식, 채권, 부동산 등 다양한 투자 옵션 중 최적의 조합을 제시해 줍니다. 예를 들면, 위험을 덜 선호하는 사람에게는 안정적인 채권이나 부동산 투자를 권하고, 좀 더 공격적인 투자를 원하는 사람에게는 다양한 주식 포트폴리오를 추천할 수 있습니다.

2. 시장 트렌드 분석해 투자 기회 포착 및 위험 최소화

또한, AI는 시장의 트렌드를 실시간으로 분석하여, 투자 기회를 포착하고 위험을 최소화합니다. 예를 들어, AI가 글로벌 경제의 흐름을 분석하여, 특정 국가의 주식이나 특정 산업에 투자하는 것이 좋다고 제안할 수 있습니다. 이는 기존의 수동적인 투자

방식보다 훨씬 더 능동적이고, 시장의 변화에 빠르게 대응할
수 있게 해줍니다.

3. 장기적인 자산 관리

AI는 또한 장기적인 자산 관리에도 큰 도움을 줍니다. 예를
들어, AI는 은퇴 후 필요한 자금을 예측하고, 그에 맞는 투자
계획을 수립할 수 있습니다. 이를 통해 장기적인 관점에서
안정적인 수익을 창출하고, 은퇴 후의 생활비에 대한 걱정을
줄일 수 있습니다.

이처럼 AI를 활용한 투자와 자산 증식은 은퇴 준비에 있어서
매우 중요한 부분입니다. AI가 제공하는 데이터 기반의 투자
전략과 시장 분석을 활용함으로써, 우리는 더 안정적이고
효율적인 방식으로 자산을 관리하고 증식시킬 수 있습니다.
AI와 함께라면, 더 지혜롭고 안정적인 은퇴 자산 관리가
가능해질 것입니다.

6.4.

AI를 활용한 사업 기회

인공지능(AI)의 발전은 은퇴를 준비하는 40대와 60대에게 새로운 비즈니스 기회를 제공합니다. AI 기술을 활용하여 비즈니스 모델을 혁신하거나, 새로운 시장을 개척하는 방법을 모색할 수 있습니다. AI는 데이터 분석, 자동화, 효율성 향상 등 다양한 분야에서 응용 가능하며, 이를 통해 새로운 수익원을 창출하고 비즈니스 경쟁력을 강화할 수 있습니다.

1. AI를 활용한 데이터 분석

AI 기반의 데이터 분석은 시장 트렌드, 소비자 행동, 경쟁 상황 등을 파악하는 데 유용합니다.

데이터 기반의 의사결정은 비즈니스 전략을 더 정확하고 효과적으로 수립하는 데 도움이 됩니다.

2. 자동화와 효율성 향상

AI를 통한 업무 자동화는 시간과 비용을 절약하며, 생산성을 높일 수 있습니다.

고객 서비스, 재고 관리, 영업 프로세스 등 다양한 분야에서 AI를 활용할 수 있습니다.

3. AI 기반의 새로운 비즈니스 모델

AI 기술을 활용하여 새로운 비즈니스 모델을 개발할 수 있습니다. 예를 들어, 개인화된 추천 시스템, 스마트 홈서비스, 건강 관리 앱 등이 있습니다.

기존 산업에 AI를 접목하여 차별화된 서비스나 제품을 제공할 수 있습니다.

교육 및 스킬 향상을 통한 AI 활용

AI 기술을 효과적으로 활용하기 위해서는 관련 교육 및 훈련이 필요합니다.

온라인 코스, 워크숍, 세미나 등을 통해 AI 관련 지식과 스킬을 습득할 수 있습니다.

AI 기술을 활용한 비즈니스 기회는 은퇴 후 새로운 수입원을 창출하고, 장기적인 경제적 자립을 가능하게 합니다. 이를 위해서는 AI 기술과 시장 동향에 대한 지속적인 학습과 이해가 필요합니다. AI 기술을 활용하여 창의적이고 혁신적인 비즈니스 아이디어를 실현할 수 있는 기회를 모색해 보세요.

6.5.

은퇴 후 재정 교육 및 자기계발

은퇴 후에도 계속되는 재정 교육과 자기 개발은 노후 생활의 질을 높이는 중요한 요소입니다. 재정 지식을 갖추고 새로운 기술을 습득함으로써, 은퇴 후의 삶을 더욱 풍요롭고 의미 있게 만들 수 있습니다.

1. 재정 교육

   - 통계에 따르면, 은퇴 후 재정 관리 능력이 높은 사람들이 더 안정적인 노후 생활을 누린다고 합니다.

   - 온라인 코스, 세미나, 워크숍 등을 통해 투자, 예산 관리, 세금 계획 등에 대한 지식을 쌓을 수 있습니다.

   - 예를 들어, '국민연금공단'에서 제공하는 은퇴 준비 교육 프로그램은 은퇴를 준비하는 중장년층에게 큰 도움이 됩니다.

2. 자기 개발

   - 새로운 기술을 배우거나 취미를 개발함으로써 은퇴 생활에 활력을 불어넣을 수 있습니다.

   - 예술, 음악, 언어 학습 등 다양한 분야에서 새로운 경험을

할 수 있습니다.

- 한 연구에 따르면, 새로운 것을 배우고 도전하는 활동은 뇌 건강을 유지하고 치매 발병 위험을 줄이는 데 도움을 줍니다.

3. 온라인 학습 플랫폼 활용

- Coursera, Udemy 등의 온라인 학습 플랫폼을 통해 다양한 과정을 저렴한 비용으로 수강할 수 있습니다.

- 최신 기술, 비즈니스, 개인 금융 관리 등 다양한 주제에 대한 강좌가 제공됩니다.

- 예를 들어, 60세 이상의 성인을 대상으로 한 '시니어를 위한 디지털 마케팅 코스' 같은 프로그램은 새로운 분야에 도전하고자 하는 은퇴자에게 이상적입니다.

4. 독서와 연구

- 경제, 문화, 과학 등 다양한 주제에 대한 독서는 지식을 넓히고 사고력을 향상시킬 수 있습니다.

- 도서관, 독서 클럽, 온라인 포럼 등을 통해 새로운 지식을 탐구하고 토론할 수 있습니다.

5. 자원봉사와 사회 참여

- 지역 사회 봉사, 비영리 단체 활동 등을 통해 사회에 기여

하고 새로운 사람들을 만날 수 있습니다.

- 이러한 활동은 자아실현의 기회를 제공하고, 은퇴 후의 삶에 의미와 목적을 부여합니다.

은퇴 후에도 계속되는 재정 교육과 자기 개발은 은퇴자가 더욱 독립적이고 만족스러운 삶을 살 수 있게 도와줍니다. 지속적인 학습과 도전은 은퇴 후의 삶을 풍부하게 해줄 뿐만 아니라 정신적, 신체적 건강을 유지하는 데도 중요한 역할을 합니다.

7장
은퇴 후 사회적 공헌 및 나눔

1. 은퇴 후 사회 활동의 중요성

은퇴 후의 사회 활동은 개인의 삶에 활력을 불어넣고 사회에 기여하는 중요한 수단입니다. 이는 개인의 정신적 만족과 사회적 연결감을 증진시키며, 은퇴 생활에 더 큰 의미를 부여합니다.

정신적 건강 유지: 사회 활동은 우울감 감소와 삶의 만족도 향상에 기여합니다. 활동적인 사회 참여는 정신 건강을 유지하는 데 중요한 역할을 합니다.

사회적 연결감 강화: 사회 활동을 통해 새로운 사람들을 만나고, 기존의 관계를 강화할 수 있습니다. 이는 사회적 고립을 방지하고, 사회적 지지망을 구축하는 데 도움이 됩니다.

지속적인 학습과 성장: 새로운 경험과 도전은 지속적인 학습과 성장의 기회를 제공합니다. 이는 은퇴 후에도 계속해서 발전할 수 있는 동기를 부여합니다.

2. AI를 활용한 자원봉사 및 사회 참여

AI 기술의 발전은 은퇴 후의 사회 참여 방식을 혁신적으로 바꿔놓고 있습니다. AI를 활용한 자원봉사와 사회 참여는 더 효과적이고 맞춤화된 방법으로 사회에 기여할 수 있게 해줍니다.

AI 기반 자원봉사 매칭: AI 알고리즘을 이용해 개인의 기술, 관심사, 위치 등을 고려하여 최적의 자원봉사 기회를 찾을 수 있습니다.

온라인 사회 참여: AI 지원 커뮤니티 플랫폼을 통해 원격으로 다양한 사회 활동에 참여하고, 온라인으로 지식과 경험을 공유할 수 있습니다.

AI 교육 프로그램: AI 기술을 활용한 교육 프로그램을 통해 지속적으로 새로운 지식을 습득하고, 이를 사회에 환원할 수 있습니다.

3. 지식과 경험의 나눔

은퇴자들은 자신의 지식과 경험을 나눔으로써 사회에 긍정적인 영향을 미칠 수 있습니다. 이는 다음 세대에게 가치 있는 교훈을 전달하고, 은퇴 후 삶에 보람을 느낄 수 있게 합니다.

멘토링 프로그램 참여: 은퇴자들은 자신의 전문성과 경험을 바탕으로 젊은 세대를 위한 멘토 역할을 할 수 있습니다.

지식 공유 세미나: 자신의 전문 분야나 취미에 대한 지식을 공유하는 세미나나 워크숍을 개최할 수 있습니다.

온라인 콘텐츠 제작: 블로그, 유튜브, 팟캐스트 등 다양한 온라인 플랫폼을 통해 자신의 지식과 경험을 나눌 수 있습니다.

7.1.

은퇴 후 사회 활동의 중요성

은퇴 후 사회 활동은 단순한 시간 보내기를 넘어서, 노후 생활의 질을 향상시키는 중요한 역할을 합니다. 연구 결과에 따르면, 은퇴 후 활발한 사회 활동을 하는 사람들은 그렇지 않은 사람들에 비해 신체적, 정신적 건강이 더 우수한 것으로 나타났습니다.

- 정신 건강 증진: 하버드 대학의 연구에 따르면, 사회적 활동에 적극적인 노인들은 우울증 발생률이 현저히 낮습니다. 이는 사회 활동이 정신 건강에 긍정적인 영향을 미친다는 것을 시사합니다. 사회적 상호작용은 스트레스 해소와 기분 개선에 도움을 주며, 인지 기능 감소를 방지하는 효과도 있습니다.

- 사회적 연결감 강화: '미국 노인협회(AARP)'의 보고서에 따르면, 사회적 관계가 풍부한 노인들은 고립된 노인들에 비해 삶의 만족도가 더 높습니다. 사회적 관계는 감정적 지원을 제공하고, 사회적 고립을 예방하는 데 중요한 역할을 합니다. 또한, 사회 활동을 통해 새로운 관계를 형성하고 기존의 관계를 강화할 수 있습니다.

- 지속적인 학습과 성장: 사회 활동은 새로운 지식과 기술을 배울 기회를 제공합니다. 예를 들어, 봉사 활동, 취미 클래스, 학습 모임 등은 새로운 것을 배우고 경험할 수 있는 좋은 기회입니다. '미국 심리학회(APA)'의 연구에 따르면, 새로운 것을 배우고 도전하는 것은 뇌 건강을 유지하고 인지 기능 감소를 늦추는 데 효과적입니다.

- 사회적 기여와 자아실현: 은퇴자들은 자신의 지식과 경험을 사회에 공유함으로써 사회적 가치를 창출할 수 있습니다. 이는 개인에게 자아실현의 기회를 제공하며, 사회적으로는 긍정적인 영향을 끼칩니다. 예를 들어, 전문 지식을 활용한 자원봉사, 멘토링, 강연 등은 개인의 전문성을 사회적으로 활용하는 좋은 방법입니다.

- 사회적 역할의 변화: 은퇴는 새로운 사회적 역할을 탐색하는 기회가 될 수 있습니다. '미국 노인학회(GSA)'의 보고서에 따르면, 은퇴 후 새로운 사회적 역할을 찾는 것은 자아정체성을 강화하고 삶에 새로운 의미를 부여합니다. 이는 은퇴를 새로운 시작으로 받아들이고, 삶의 다음 단계를 적극적으로 설계하는 데 도움이 됩니다.

은퇴 후 사회 활동은 개인의 삶에 활력을 불어넣고 사회적

가치를 창출하는 중요한 수단입니다. 이를 통해 은퇴자들은 더 건강하고 만족스러운 노후 생활을 누릴 수 있으며, 사회에

긍정적인 영향을 미칠 수 있습니다. 따라서 은퇴 후에도 적극적인 사회 참여를 통해 새로운 역할을 탐색하고, 지속적인 학습과 성장을 추구하는 것이 중요합니다.

7.2.

AI를 활용한 봉사활동 및 사회 참여

AI 기술의 발달은 은퇴 후 사회 참여와 봉사활동에도 새로운 방향을 제시합니다. AI의 도움을 받아 개인의 능력과 관심사에 맞는 봉사활동을 찾고, 사회 참여의 효과를 극대화할 수 있습니다.

맞춤형 봉사활동 찾기: AI 기반의 플랫폼을 사용하면, 개인의 경험, 관심사, 지역 등에 기반한 맞춤형 봉사활동을 찾을 수 있습니다. 예를 들어, AI는 과거의 봉사활동 이력과 현재의 관심사를 분석하여 가장 적합한 봉사활동을 추천해 줍니다.

효과적인 봉사활동 관리: AI는 봉사활동의 효과를 분석하고 개선 방안을 제시합니다. 예를 들어, 봉사활동의 참여도, 만족도, 사회적 영향력 등을 데이터로 수집하여, 봉사활동이 더욱 효과적으로 진행될 수 있도록 도와줍니다.

온라인 봉사활동 참여: AI 기술을 활용한 온라인 플랫폼을 통해 집에서도 봉사활동에 참여할 수 있습니다. 예를 들어, AI를 활용한 언어 교환, 온라인 멘토링, 데이터 분석 등 다양한 온라인 봉사활동이 가능합니다.

교육 및 훈련 프로그램: AI 기반 교육 플랫폼을 통해 봉사활동에 필요한 새로운 지식과 기술을 배울 수 있습니다. AI는 개인의 학습 스타일과 속도를 고려하여 맞춤형 학습 경험을 제공합니다.

사회적 네트워킹 강화: AI는 은퇴자들이 비슷한 관심사를 가진 사람들과 연결되도록 돕습니다. 이를 통해 새로운 사회적 네트워크를 형성하고, 함께 활동을 기획하고 참여할 수 있습니다.

지역사회 문제 해결: AI는 지역사회의 다양한 문제를 분석하고 해결 방안을 모색하는 데 도움을 줍니다. 예를 들어, AI가 수집

한 데이터를 바탕으로 지역사회의 환경, 교통, 안전 문제 등을 해결하는 데 기여할 수 있습니다.

AI를 활용한 봉사활동 및 사회 참여는 개인의 역량을 발휘하고 사회적 가치를 창출하는 효과적인 방법입니다. 이러한 활동을 통해 은퇴 후의 삶은 더욱 의미 있고 활기찬 것으로 변모할 것입니다. AI 기술의 도움을 받아 사회적 기여를 확대하고, 자신의 잠재력을 발휘하는 새로운 기회를 찾아보세요.

7.3.

지식과 경험 공유

은퇴 후의 삶에서 지식과 경험을 공유하는 것은 개인의 가치를 사회와 나누는 중요한 방법입니다. 이를 위해 AI 기술을 활용할 수 있는 다양한 방법들이 있으며, 여기에는 몇 가지 구체적인 예시가 포함됩니다.

온라인 강의 및 워크숍 개설: 자신의 전문 지식이나 취미를 온라인 플랫폼을 통해 다른 사람들과 공유할 수 있습니다. 예를 들어, AI 기반 플랫폼을 사용하여 자신만의 강의를 개설하고, 온라인으로 워크숍을 진행할 수 있습니다. 이러한 방식으로 은퇴자는 자신의 지식을 전달하고, 학습자는 새로운 지식을 습득할 수 있습니다.

멘토링 프로그램 참여: 은퇴자들은 자신의 경험과 전문성을 바탕으로 젊은 세대에게 멘토링을 제공할 수 있습니다. AI 기반 매칭 시스템을 통해 멘토와 멘티를 연결하고, 지식과 경험을 공유하는 데 도움을 줄 수 있습니다.

블로그 및 소셜 미디어 활용: 자신의 경험과 지식을 블로그나 소셜 미디어를 통해 공유하는 것도 좋은 방법입니다. AI 분석 도구를 활용하여 콘텐츠의 도달 범위와 영향력을 측정하고, 더 많은 사람들에게 지식을 전파할 수 있습니다.

전자책 및 출판: 자신의 전문 지식이나 경험을 바탕으로 전자책을 작성하고 출판할 수 있습니다. AI 기반의 출판 플랫폼을 사용하면 출판 과정을 간소화하고, 타깃 독자에게 쉽게 도달할 수 있습니다.

온라인 커뮤니티 참여: 특정 주제나 취미에 관한 온라인 커뮤니티에 참여하여 자신의 지식과 경험을 공유하고, 다른 사람들과 소통할 수 있습니다. AI 기반의 추천 시스템을 통해 관심사가 비슷한 사람들과 연결될 수 있습니다.

컨설팅 및 자문 활동: 자신의 경력과 전문성을 바탕으로 기업이나 단체에 컨설팅 및 자문 서비스를 제공할 수 있습니다. AI 분석 도구를 사용하여 시장 동향을 파악하고, 맞춤형 조언을 제공할 수 있습니다.

지식과 경험을 공유하는 것은 은퇴 후에도 지속적으로 성장하고, 사회에 긍정적인 영향을 미치는 방법입니다. AI 기술을 활용하여 자신의 지식을 널리 전파하고, 다른 사람들과의 연결을 강화하는 것은 은퇴 생활에 새로운 활력을 불어넣을 수 있습니다. 자신이 가진 지식과 경험을 사회와 공유하며 의미 있는 은퇴 생활을 만들어 보세요.

8장
인공지능과 함께하는
은퇴 생활의 새로운 비전

1. 은퇴 후 재정적 자유 및 삶의 질 향상

은퇴는 인생의 새로운 장을 여는 시작점입니다. AI의 도움으로 은퇴 생활은 더 이상 경제적 어려움의 시기가 아니라, 개인의 재정적 자유와 삶의 질을 향상시킬 수 있는 기회의 시간으로 변모하고 있습니다. AI 기술을 활용하여 효율적인 재정 관리와 투자 전략을 수립함으로써, 은퇴 후에도 안정적인 수입원을 확보하고, 재정적 자유를 누릴 수 있습니다.

은퇴 후의 삶은 단순히 경제적 안정을 넘어, 삶의 질을 향상시키는 다양한 활동으로 채워질 수 있습니다. 취미와 여가 활동, 사회 공헌, 지식 공유 등 AI가 제공하는 정보와 기회를 활용하여 자신만의 은퇴 생활을 설계하고, 새로운 역할과 목적을 찾아 나설 수 있습니다.

2. 건강한 은퇴 생활을 위한 AI의 역할

AI는 은퇴자들이 건강하고 활기찬 삶을 유지하는 데 중요한 역할을 합니다. AI 기반의 건강 모니터링 시스템을 통해 개인의 건강 상태를 지속적으로 추적하고, 필요한 건강 관리 조치를 취할 수 있습니다. 이를 통해 은퇴자들은 병원 방문의 필요성을 줄이고, 건강 문제를 조기에 발견하여 적절하게 대처할 수 있습니다.

또한, AI 기술은 개인 맞춤형 건강 계획을 제공함으로써 은퇴 후의 건강 관리를 더욱 효율적으로 만들어 줍니다. 영양, 운동, 정신 건강 등 다양한 측면에서 개인의 필요와 상황에 맞는 건강 관리 계획을 수립할 수 있으며, 이를 통해 은퇴 후에도 건강하고 활기찬 삶을 누릴 수 있습니다.

AI와 함께하는 새로운 은퇴 생활은 단순히 노후를 보내는 시기가 아니라, 자신의 삶을 재해석하고 새로운 가치를 창출하는 기회의 시간입니다. 재정적 자유와 건강한 삶을 누리며, AI의 도움으로 더욱 풍요롭고 의미 있는 은퇴 생활을 설계하고 실현해 나가세요. 이 책을 통해 여러분의 은퇴 생활이 더욱 활기차고 만족스러운 여정이 되기를 기원합니다.

8.1.

은퇴 후 재정적 자유 및
삶의 질 향상

꿈꾸던 은퇴, 현실로 만들기

은퇴는 단순히 경력의 종료가 아닌, 새로운 삶의 시작입니다. 이 장에서는 AI 시대에 걸맞은 재정적 자유와 높은 삶의 질을 어떻게 달성할 수 있는지에 대해 탐구합니다. 은퇴 준비는 특히 40대와 60대에게 중요한 관심사입니다. 이 시기에는 자산을 관리하고 투자하는 방법, 추가 소득원을 찾는 방법, 그리고 건강을 유지하며 삶의 질을 향상시키는 방법을 모색해야 합니다.

재정적 자유를 위한 AI 활용

AI 기술은 재정적 자유를 달성하기 위한 강력한 도구입니다. AI를 활용하여 개인의 재정 상태를 분석하고, 투자 전략을 수립하며, 미래의 재정 계획을 세울 수 있습니다. AI 기반의 금융 관리 시스템을 이용하면, 은퇴 후에도 안정적인 수입원을 확보할 수 있으며, 불필요한 지출을 줄이고 재테크 전략을 개선할 수 있습니다.

은퇴 후 삶의 질 향상 전략

은퇴 후의 삶은 단순히 휴식이 아니라, 새로운 시작입니다. 취미와 여가 활동, 자원봉사, 지식 공유 등을 통해 삶에 새로운 의미를 부여할 수 있습니다. 이러한 활동은 정신적, 신체적 건강을 유지하는 데 도움이 되며, 사회적 연결감을 강화합니다.

구체적인 실행 계획

1. AI를 활용한 재정 관리: AI 기반의 앱과 서비스를 이용하여 자산을 효과적으로 관리하고, 투자 전략을 수립합니다.

2. 추가 소득원 찾기: 부동산 투자, 온라인 사업, 컨설팅 등 다양한 방법으로 추가 소득원을 찾습니다.

3. 건강 유지: 건강 모니터링 AI 시스템을 사용하여 건강 상태를 지속적으로 체크하고, 필요한 운동과 식단을 관리합니다.

4. 사회적 활동: 지역 사회 활동, 자원봉사, 지식 공유 등을 통해 사회적 연결감을 강화합니다.

이러한 전략들을 통해 은퇴 후에도 재정적 자유를 누리며, 건강하고 활기찬 삶을 영위할 수 있습니다. AI 시대의 은퇴 준비는 이제 단순한 준비를 넘어서, 삶의 질을 높이는 혁신적인 접근이 되어야 합니다. 여러분의 은퇴 생활이 이 책에서 제시하는 아이디어와 전략을 통해 더욱 풍요롭고 만족스러운 것이 되기를 바랍니다.

8.2.

건강한 은퇴 생활을 위한 AI의 역할

AI가 선사하는 건강한 은퇴생활

은퇴 후 건강한 삶을 유지하는 것은 매우 중요합니다. AI 기술은 이러한 목표를 달성하는 데 있어 큰 역할을 합니다. AI는 건강 관리, 질병 예방, 운동 및 식단 계획 등 다양한 방면에서 은퇴자들의 건강을 지원하며, 더 나은 삶의 질을 제공합니다.

AI 기반 건강 관리

AI 기술은 건강 상태를 모니터링하고, 잠재적인 건강 문제를 조기에 발견하는 데 도움을 줍니다. 예를 들어, 웨어러블 기기와 AI 애플리케이션을 통해 심박수, 혈압, 수면 패턴 등을 추적하고 분석할 수 있습니다. 이 정보는 의사와 공유하여 정확한 진단과 치료를 받을 수 있는 기반을 마련합니다.

예방적 건강 관리

AI는 건강 데이터를 분석하여 특정 질병의 위험 요소를 예측하고, 예방적 조치를 취할 수 있도록 도와줍니다. 예를 들어, 심장 질환, 당뇨병, 골다공증 등의 위험을 미리 알고 적절한 운동과 식단 조절로 예방할 수 있습니다.

개인화된 운동 및 식단 계획

AI는 개인의 건강 상태와 취향에 맞춰 맞춤형 운동 및 식단 계획을 제공합니다. AI 알고리즘은 사용자의 건강 데이터를 분석하여 최적의 운동 루틴과 건강식 메뉴를 추천합니다. 이는 효과적인 체중 관리와 근력 유지에 도움이 됩니다.

건강한 노후 생활의 풍요로움

AI를 활용한 건강 관리는 단순히 질병을 예방하고 치료하는 것을 넘어, 은퇴 후 삶의 질을 향상시키는 중요한 요소입니다. 건강한 신체는 취미 활동, 여행, 사회 참여 등 다양한 활동을 즐기는 데 필수적이며, AI는 이러한 활동을 더욱 활발하고 만족스럽게 만듭니다. 예를 들어, AI 기반 건강 앱을 통해 매일의 걸음 수를 추적하고, 적절한 운동 목표를 설정할 수 있습니다. 또한, 여행지에서의 건강 관리나 응급 상황 시 AI가 제공하는 신속한 정보는 안전하고 걱정 없는 여행을 가능하게 합니다.

AI와의 상호작용으로 더욱 풍부한 삶

AI는 단순한 도구를 넘어 은퇴 후 삶의 동반자가 됩니다. AI 챗봇과의 대화를 통해 일상의 소소한 이야기를 나누거나, 건강 관련 조언을 얻을 수 있습니다. 또한, AI는 개인의 취향과 관심사에 맞는 새로운 취미 활동이나 지역 사회의 이벤트를 추천해 줄 수도 있습니다.

결론

AI의 적극적인 활용은 은퇴 후의 건강한 삶을 위한 중요한 전략입니다. AI를 통해 건강한 생활 습관을 유지하고, 은퇴 생활을 더욱 풍요롭고 즐겁게 만들 수 있습니다. 은퇴 후에도 건강과 활력을 유지하며 새로운 도전과 기회를 만끽하는 것, 그것이 바로 AI가 선사하는 은퇴 생활의 새로운 비전입니다.

나가는 글

2022년 마지막 날, 저는 <블로그 성장키 A to Z>라는 100page 무료 전자책을 출간하며 새로운 여정을 시작했습니다. 2023년에는 종이책 출간을 통해 이 여정을 한 단계 더 발전시켰습니다. 21년간 편집자로서 글을 만져왔음에도 불구하고, 내 책을 직접 쓰는 것은 여전히 어려웠습니다. 아무리 AI의 도움을 받는다 해도, 눈높이가 높으니 탈고 과정이 힘들었습니다.

이 과정에서 7권의 초안을 완성했고, 그 안에서 끊임없이 내용을 해체하고 재조합하며 완성도를 높여 갔습니다. 아쉬움이 많이 남는 것은 시간이 부족하고, 프롬프트 작성을 제대로 못하는 한계 때문입니다. 하지만, 이 모든 과정은 제게 큰 깨달음을 주었습니다. 노력은 결코 배신하지 않습니다.

올해 하반기 업무 때문에 미드저니와 함께한 수백 장의 이미지 작업과 AI와의 협업은 힘들었지만 엄청난 성장을 가져다 주었습니다. 이번 작업을 마치며 이제 책 한권을 얼마든지 혼자 만들 수 있다는 것을 절실히 깨닫습니다.

AI는 한 사람의 역할을 수십 배로 확장시켜주며 시간을 단축해주는 놀라운 도구로 자리매김했습니다. AI와 함께라면 은퇴 후에도 새로운 도전과 배움, 시도에 대한 두려움은 사라집니다.

5060세대는 사회의 중추적인 역할을 해왔습니다. 이제 자신들의 노고에 대한 보상을 받고, 새로운 삶을 시작할 때입니다. 인생의 황금기, 은퇴 후에도 우리에게는 10만 시간이 넘는 시간이 남아있습니다. 이 시간을 경제적 여유와 사회적 경험을 바탕으로 활기차고 역동적인 삶을 살아가는 데 사용할 수 있습니다.

인생 2막은 새로운 직업이나 취미를 넘어서, 삶의 의미와 가치를 재발견하는 여정입니다. 자신의 강점과 약점을 파악하고, 새로운 분야에 대한 정보를 수집하며, 실패에 대한 두려움을 극복한다면, 언제든 새로운 기회가 열릴 것입니다.

인생 2막을 통해 5060세대는 자신의 삶을 더욱 풍요롭고 의미있게 만들 수 있습니다. 자신의 가치관과 목표를 명확히 하고, 새로운 것에 도전하며, 사람들과 소통하는 것이 그 시작입니다. 5060세대 여러분, 인생 2막을 준비해보세요.

여러분의 인생은 활짝 열려 있습니다. 모든 5060 세대의 배움과 도전, 실패와 성공의 값진 여정을 응원합니다. 감사합니다.